Chère lectrice,

Nous y voilà enfin !

Après ces mois d'hiver interminables, nous allons pouvoir sortir de notre long sommeil, nous étirer, soupirer profondément et ouvrir les yeux comme la rose du *Petit prince* de Saint-Exupéry : dans quelques jours, le 20 mars exactement, c'est le printemps.

Printemps..., « primus tempus », le « premier temps », c'est-à-dire la première saison — le moment de l'année où la nature explose et où nous renaissons avec elle puisque nous en faisons partie.

Mais aussi Equinoxe de printemps — le temps où nous sommes tous égaux devant le soleil, puisque, quel que soit le point de la Terre, ce 20 mars, la durée du jour est égale à celle de la nuit. Une jolie symbolique pour une bien belle saison, n'est-ce pas ?

Alors, réveillez-vous et savourez ce renouveau !

A bientôt,

La responsable de collection

Du côté d'Everspring

KATHLEEN O'BRIEN

Du côté d'Everspring

éMOTIONS

éditionsHarlequin

Cet ouvrage a été publié en langue anglaise
sous le titre :
THE REAL FATHER

Traduction française de
FLORENCE MOREAU

HARLEQUIN®

est une marque déposée du Groupe Harlequin
et Émotions® est une marque déposée d'Harlequin S.A.

Photos de couverture
Maison : © JAMES RANDKLEV / GETTY IMAGES
Couple : © ICONICA / GETTY IMAGES

83-85, boulevard Vincent-Auriol, 75013 PARIS — Tél. : 01 42 16 63 63
Service Lectrices — Tél. : 01 45 82 47 47
ISBN 2-280-07961-5 — ISSN 1768-773X

Prologue

Dents serrées, Jack Forrest se retenait à l'imposante commode en acajou pour ne pas s'effondrer. Il aurait aimé donner un coup de poing dans le mur, mais, vu son état d'ébriété, en aurait-il été capable ? Un bref coup d'œil au miroir lui avait renvoyé une double image de lui-même. Deux silhouettes identiques, floues, zigzaguant… Il ne pouvait déjà pas supporter sa tête, alors se voir en double…

Il se mit à fixer la bague posée sur la commode. Une véritable pièce à conviction, qui semblait le narguer en scintillant sous la lumière. C'était l'anneau des Forrest. Dix-huit carats d'or coulés en un motif de feuilles entrelacées. Le tout était si précieux et si minutieux qu'il était difficile d'imaginer que le bijou avait été porté par plusieurs générations mâles de Forrest depuis la guerre de Sécession.

La bague appartenait à son frère jumeau, son aîné de quinze minutes.

— Honte sur toi ! marmonna-t-il d'une voix rauque. Quel traître tu fais, Forrest…

A qui parlait-il, exactement ?

A Remi ou à lui-même ?

Bon sang, pourquoi avait-il absorbé tant d'alcool ? Cela limitait considérablement son choix de vocabulaire. Au fond, le terme qui caractérisait le dégoût qu'il ressentait pour eux deux, ce soir, n'existait peut-être même pas.

— Tu es vraiment un beau salaud, murmura-t-il à l'image qui le fixait dans le miroir.

Les scintillements de la bague dansèrent dans le miroir et une nouvelle nausée le saisit.

Comment allait-il supporter l'existence, après ce qu'il avait fait ? Poussant un juron dans sa barbe, il balaya du bras la surface de la commode. Tous les objets qui s'y trouvaient tombèrent dans des sons métalliques discordants : des pièces de monnaie, des clés, des boutons de manchettes, ainsi que la fameuse bague...

Alors que l'écho résonnait lugubrement dans la spacieuse chambre à plafond haut, la porte s'ouvrit et Remi fit son apparition.

A la vue de son frère, une vérité s'imposa à l'esprit embrouillé de Jack : ce n'était pas dans un mur qu'il avait envie d'envoyer son poing, mais dans le visage d'un homme...

Plus précisément dans celui de Remi.

Et il souhaitait que ce dernier lui rende la pareille. Il voulait une bagarre sans quartier, un combat primitif qui ferait gicler le sang, les larmes, ou les deux à la fois ! Un combat purificateur.

Mais il comprit que sa colère n'intéressait pas Remi, qui ne s'était d'ailleurs pas rendu compte que son jumeau était furieux. Il n'avait pas davantage remarqué la pagaille qui régnait par terre. Comme d'habitude, il était entièrement concentré sur lui-même et ses propres émotions.

Manifestement, son état d'esprit n'avait rien à envier au sien. Il venait de claquer violemment la porte derrière lui, tout en lâchant un juron bien senti. Ses cheveux blonds étaient en désordre, des mèches tombaient sur son front. Sous la frange emmêlée, son regard vert était sombre…

Où était donc passé l'ange blond que toutes les femmes chérissaient, des sages écolières aux nattes blondes aux vieilles dames distinguées, en passant par les énergiques pom-pom girls ? Sans parler de toutes les autres…

Curieusement, ce soir, Remi avait perdu de sa superbe. Il avait une mine pitoyable. Pourquoi diable Molly n'était-elle pas là pour le voir tel qu'il était, une fois le masque tombé ? Telle fut la pensée furtive qui traversa l'esprit de Jack.

Allons, il ne devait pas se disperser en pensant à Molly, mais plutôt tâcher de recouvrer ses esprits. Et comprendre pourquoi Remi Forrest, son jumeau, le favori de tout le monde, était courroucé au point d'en oublier son éternel rôle de séducteur.

Avait-il découvert que…

Non ! Il était impossible que Remi ait découvert quoi que ce soit en un laps de temps si court. C'était sa mauvaise conscience qui le tourmentait. Il allait pourtant devoir s'y habituer… Un vertige le saisit à l'idée de vivre avec ce terrible sentiment de culpabilité jusqu'à la fin de ses jours.

Remi passa devant lui sans le voir et commença à ouvrir frénétiquement les tiroirs de la commode.

— Où sont mes fichues clés ? bredouilla-t-il. Je suis certain de les avoir laissées dans ma chambre.

— Du calme, Remi.

Dans un ultime effort, il abandonna l'appui de la commode pour s'asseoir sur le lit à baldaquin de Remi.

—Pourquoi es-tu dans tous tes états ? Ta petite amie du jour t'a-t-elle posé un lapin ?

La réponse de Remi fusa :

— Ferme-la, Jack ! Je ne suis pas d'humeur à écouter tes sarcasmes, ce soir.

Là-dessus, il referma bruyamment un tiroir.

Un curieux pressentiment s'empara alors de Jack. De vrais jumeaux pouvaient deviner ce qui arrivait à leur *alter ego*. En l'occurrence, il avait la sensation qu'un événement grave s'était produit. Cette fois, il ne s'agissait pas d'un simple accès de mauvaise humeur de la part de Remi.

— Que se passe-t-il ? Est-ce à cause de Molly ?

— Molly ? dit Remi d'un air à la fois étonné et méprisant. Je ne vois pas le rapport !

Pivotant brusquement sur lui-même pour faire face à Jack, il ajouta, l'œil mauvais :

— Si c'est toi qui as les clés de ma voiture, je te conseille de me les remettre sur-le-champ.

Jack comprit que Remi était en train de perdre son sang-froid. Il sentait le pouls qui battait violemment aux tempes de son jumeau comme s'il se fut agi du sien, son sang qui courait à vive allure dans ses veines comme s'il avait couru dans les siennes.

— Elles sont par terre, répondit-il.

Sans piper mot, Remi se baissa pour les ramasser.

—Où comptes-tu aller ?

Alarmé, Jack regrettait à présent vivement de ne pas avoir caché les clés.

— Loin d'ici. Si cette petite dévergondée croit qu'elle va détruire ma vie, elle va comprendre de quel bois je me chauffe.

— Qui ? Molly ?

— Cesse de me parler de Molly, Jack ! Et sois un peu réaliste : franchement, qui se préoccupe de cette petite idiote frigide ?

Comme Remi se dirigeait vers la porte, Jack lui emboîta le pas, d'une démarche incertaine, car ses jambes le portaient à peine.

— Remi, attends... Je viens avec toi, je vais conduire.

Son frère ne daigna pas répondre et sortit de la pièce.

Naturellement, la proposition était ridicule, dans la mesure où il était bien trop ivre pour conduire. Pourtant, tous ses instincts lui dictaient d'empêcher son frère de prendre le volant. Il descendit l'escalier à la suite de Remi, espérant encore le dissuader.

Quand il atteignit le cabriolet rouge de son frère, ce dernier faisait déjà vrombir le moteur. Il n'y avait pas de temps à perdre. Il enjamba vivement la portière de la décapotable et se laissa tomber sur le siège en cuir. Son frère le foudroya du regard... mais il n'en eut cure. Remi pouvait bien lui faire la tête, il ne descendrait pas de la voiture.

Son jumeau finit par détourner le regard, passa la marche arrière et, tout en faisant crisser les pneus, descendit l'allée à toute allure. Arrivé au portail, il braqua vivement de sorte que la voiture tournoya sur elle-même avant de se retrouver face à la route.

Après quoi, il n'y eut plus que le souffle du vent, le clair de lune... et une course à tombeau ouvert. Aucun des jumeaux ne prononça un mot tandis que la voiture filait dans les rues vides de Demery. Remi ignorait les stops, les feux rouges. Impuissant, Jack regardait le paysage défiler dans un flou impressionniste.

Il n'y avait plus qu'à prier pour que le réservoir d'essence soit presque vide.

Le cabriolet heurta soudain le rebord d'un trottoir, Remi redressa à la dernière minute et ils frôlèrent de peu la catastrophe. L'incident ne fit nullement retomber la rage de Remi. Au contraire. Sa colère semblait redoubler à chaque kilomètre. Les rues devenaient de plus en plus étroites, de moins en moins bien entretenues. Ils ne se trouvaient pas très loin de chez Annie Cheatwood…

Soudain, Jack eut la sensation d'un danger imminent.

— Remi, arrête ! Tu vas nous tuer, cria-t-il par-dessus le bruit du moteur.

Ce dernier ne l'entendit pas. Ou ne voulut pas l'entendre. Yeux plissés à cause du vent, il fixait l'asphalte, le pied bloqué sur la pédale d'accélérateur. Jack le regarda, hypnotisé : il avait l'impression que son frère s'était transformé en un être possédé par le démon.

— Garce, garce, répétait-il.

Jack reporta son regard sur la route. Une seconde trop tard. Comme dans un mauvais rêve, il vit la statue se rapprocher d'eux à une vitesse vertigineuse.

— Remi ! hurla-t-il en attrapant le volant.

Mais rien ne pouvait plus arrêter la folle avancée du général de la guerre de Sécession, sentinelle de marbre qui trônait au cœur de Milton Square, un endroit charmant, au sud de la ville.

Se rendant enfin compte du danger, Remi voulut braquer, mais la force combinée des athlétiques jumeaux Forrest ne put arracher le cabriolet à l'attrait magnétique qu'exerçait sur lui la statue. Le métal explosa contre le marbre, les corps contre le chrome et l'acier…

Pour Remi et Jack Forrest, vingt-deux ans, le monde bascula à tout jamais.

1.

— Vraiment, vous avez une adorable petite fille, madame Lorring !

Janice Kilgore, la directrice de l'école Radway, exultait tellement que son épaisse crinière bouclée semblait rayonner, elle aussi.

— Regardez ! ajouta-t-elle. Elle a déjà su se faire adopter par les autres enfants. Elle semble se plaire ici, qu'en pensez-vous ?

Molly se contenta de hocher la tête, peu désireuse d'entamer une discussion. En tant que mère, elle savait que Liza n'avait aucune difficulté d'adaptation, quel que soit l'environnement dans lequel on la plaçait. Quoi qu'il en soit, n'était-il pas légitime que son interlocutrice veuille croire à l'alchimie qui s'opérait entre son école privée et les élèves ? Une façon très astucieuse de justifier les frais de scolarité fort élevés que l'on y pratiquait !

Un autre élément expliquait l'enthousiasme de Janice Kilgore : Liza avait été parrainée par Lavinia Forrest. Or, les Forrest étaient la famille la plus fortunée et la plus respectée de Demery. Dans cette petite ville paisible de Caroline du Sud, depuis trois générations, tous les enfants Forrest, y compris Lavinia elle-même, étaient passés sur les bancs de Radway.

Molly dirigea son regard vers la cour de l'école, spacieuse et bien équipée. La vue de sa fille lui était toujours un réconfort et son merveilleux sourire avait éclairé les jours les plus sombres de sa vie.

Liza était en train d'aider une enfant plus jeune à monter sur la balançoire. Une fois qu'elle eut rabaissé la barre de sécurité, elle se mit à pousser sa petite compagne, et leurs rires emplirent bientôt l'air matinal de ce début février. Le vent soulevait les cheveux blonds et fins de Liza, et ses joues étaient aussi roses que son manteau d'hiver.

Un manteau qui commençait à être trop petit, nota-t-elle d'un froncement de sourcils. Liza semblait grandir d'un centimètre chaque jour ! Nul doute qu'elle deviendrait mince et élancée comme son père, dont elle avait hérité la silhouette...

— Vous devez être fière d'elle, ajouta Mlle Kilgore en souriant.

Molly ne répondit pas tout de suite, luttant contre l'émotion qui lui étreignait la gorge.

Les neuf années qu'elle venait de vivre avaient été extrêmement difficiles. Certaines nuits, elle s'était sentie si seule qu'elle parlait aux murs. Certains jours, elle était si épuisée qu'elle en aurait pleuré. Mais jamais elle ne s'était effondrée. Elle avait tenu bon, surmonté les obstacles, les uns après les autres.

D'abord, comme mère célibataire à peine sortie de l'adolescence, elle avait dû se battre pour élever sa fille sans moyens. Puis elle avait suivi des cours du soir, passé un diplôme de paysagiste et sa réussite professionnelle, à vingt-neuf ans, avait mis Liza à l'abri du besoin.

Il fallait dire que sa fille lui avait grandement facilité la tâche. Intelligente, douce et incroyablement courageuse, la fillette comblait tous les espoirs que Molly plaçait en elle. Elle représentait tout ce qu'elle-même n'avait pas été — ni à neuf ans, ni à dix-neuf, ni jamais. Traumatisée par un père alcoolique au caractère ombrageux, elle avait dû développer un courage qui relevait de l'obligation de s'en sortir ; il n'avait pas été une vertu instinctive, comme chez sa fille.

Molly envoya un baiser à Liza et se promit de lui acheter le plus bcau manteau de la Caroline du Sud, dès le lendemain.

— C'est une enfant extraordinaire, répondit-elle enfin à Janice Kilgore. J'ai beaucoup de chance.

— Effectivement, confirma la directrice, car je peux vous assurer que tous les enfants ne sont pas comme elle. Souhaitez-vous visiter le reste de nos locaux ? La salle de musique ? Le laboratoire ? La piscine ?

Après cette énumération, elle éclata de rire avant de poursuivre :

— Vous voyez, madame Lorring, je cherche à vous impressionner par tous les moyens ! J'aimerais tant accueillir Liza à Radway.

— Appelez-moi Molly ! Et ne cherchez pas à me convaincre, je le suis déjà.

— Fantastique ! Moi, je m'appelle Jan... Tommy Cheatwood ! Arrête immédiatement ! Repose tout de suite Peggy !

D'abord surprise, Molly comprit rapidement que Janice Kilgore, tout en tentant de la persuader d'inscrire Liza à Radway, surveillait étroitement la cour de récréation. Un garçonnet à l'air intrépide et aux dents écartées tenait une enfant plus jeune par les chevilles, l'obligeant à avancer sur les mains en dépit de ses cris de protestation — comme une brouette qu'il aurait poussée le plus tranquillement du monde.

L'espace de quelques secondes, les cheveux blonds du petit garnement, son regard vert, son sourire irrévérencieux, et le plaisir évident que lui procurait le mauvais tour qu'il jouait à la fillette rappelèrent à Molly les jumeaux Forrest.

Ou du moins Jack Forrest... Car Remi n'avait jamais été si effronté.

En entendant la voix de la directrice, Tommy lâcha sans ménagement la petite fille, qui tomba brutalement sur le sable. Son sourire de chenapan disparut, et la fugitive impression de Molly s'évanouit.

Jan se tourna de nouveau vers elle pour reprendre la conversation.

— Ravie de vous savoir séduite par Radway ! Eh bien, avant que l'un de mes petits monstres ne vous convainc du contraire, pourquoi ne pas remplir sans tarder le bulletin d'inscription de Liza ?

— Je crois que c'est un peu prématuré, répondit Molly en souriant.

— Pourquoi ? Je vous assure que notre institution saura donner à Liza l'éducation qu'elle mérite. Nous sommes les meilleurs dans la région.

— Je vous crois sans peine.

Ayant grandi à Demery, elle connaissait la réputation de Radway. L'école était effectivement le passeport idéal pour les meilleures universités du pays.

Encore fallait-il qu'elle décide de revenir habiter à Demery, car, pour l'instant, Liza et elle demeuraient à Atlanta. D'ailleurs, même si Molly acceptait la proposition de Lavinia de s'occuper du réaménagement des jardins d'Everspring, leur séjour à Demery n'excéderait pas quelques mois.

— Ce ne sont pas les frais de scolarité qui me font hésiter, reprit-elle. Il se trouve que je n'ai pas encore pris de décision au sujet du contrat que l'on me propose à Everspring.

A ces mots, une expression de surprise se lut sur le visage de la directrice.

— Au téléphone, Mlle Forrest m'a dit que... Enfin, elle semblait croire que tout était réglé.

— Je sais.

Molly imaginait aisément les propos de Lavinia Forrest. Cette dernière tenait *absolument* à ce qu'elle prenne en charge la rénovation de la plantation ! Habituée à toujours obtenir ce qu'elle désirait, elle avait estimé pour acquis l'accord de Molly, sans attendre sa réponse.

Il était vrai que Lavinia lui avait proposé une rémunération considérable et qu'il aurait fallu être folle pour refuser. Pourtant, elle était résolue à ne pas prendre sa décision à la légère.

Dix ans auparavant, elle avait agi sans réfléchir, sous la pression de la situation, sachant tout au fond de son cœur qu'elle avait tort. De fait, les conséquences de son acte avaient profondément altéré sa vie puisqu'elle s'était retrouvée enceinte. Et, le jour où elle avait appris sa grossesse, assise sur la table d'examen froide et métallique, elle s'était fait la promesse de ne plus jamais agir contre sa volonté.

Après quoi, elle avait pris sa vie en main. Il était donc exclu qu'elle en lâche les rênes aujourd'hui. Lavinia attendrait un peu, car, avant d'accepter le projet, elle devait résoudre des questions importantes et intimes. Avait-elle réellement surmonté le passé ? S'en était-elle détachée au point de pouvoir revenir à Everspring sans dommage ?

— Puis-je laisser Liza à Radway pendant que je me rends à mon rendez-vous avec Lavinia ? demanda-t-elle tout à trac.

— Vous voyez, vous me faites déjà confiance, répondit Jan dans un sourire soulagé. Naturellement, laissez-moi Liza. Elle semble si bien s'amuser.

— Merci, répondit Molly.

Elle se dirigea alors vers le groupe d'enfants rieurs et bruyants avec qui jouait Liza. Quand elle se pencha pour lui donner un baiser, l'odeur de savon frais qui émanait de sa fille l'enveloppa. Elle lui promit qu'elle reviendrait sans tarder. Comme d'habitude, Liza ne protesta pas, visiblement ravie de rester jouer avec ses nouveaux camarades.

Comme elle regagnait sa voiture de location, Molly se retint de regarder par-dessus son épaule. Inutile de s'inquiéter pour Liza ! Son enfant se sentait en confiance, et elle ne devait surtout pas lui communiquer ses propres angoisses. Son enfance avait été si différente de celle de Liza. Grandir dans une famille comme la sienne n'aidait pas un enfant à se construire. Fillette, elle redoutait les nouvelles têtes et les endroit inconnus, car elle avait la sensation que le monde était imprévisible et pouvait réserver bien des catastrophes.

Bien sûr, elle savait que Liza aurait aimé avoir un père, et souvent elle ressentait cette absence comme un échec personnel. Elle se rappelait alors sa propre enfance et se rassurait : il était mille fois préférable de ne pas avoir de père plutôt que d'en avoir un comme celui qu'elle avait eu.

Vingt minutes plus tard, elle se tenait devant une pierre tombale, un bouquet de pensées d'un beau velours violet à la main. Le cimetière ne se trouvait qu'à sept kilomètres de

Radway ; émotionnellement, elle avait pourtant la sensation d'avoir été transportée dans un autre monde.

Alors que Radway résonnait de rires d'enfants et fourmillait de vie, un calme profond régnait ici. Les chênes aux branchages noirs, les saules pleureurs et les cornouillers formaient une barrière végétale si dense qu'ils assourdissaient tous les sons provenant de l'extérieur. Le soleil d'hiver tentait pour sa part de se frayer un chemin parmi l'enchevêtrement de branches et de feuilles, et ses maigres rayons y créaient une mosaïque discontinue de lumière blanche et dorée.

Cela faisait presque dix ans qu'elle n'était pas revenue au cimetière de Woodlawn. Pourtant, elle n'avait eu aucune difficulté à retrouver l'emplacement de la famille Forrest. Situé au centre du cimetière, il donnait d'emblée une idée de la notoriété de celle-ci.

Dix générations de Forrest reposaient à l'ombre des arbres protecteurs. Les inscriptions gravées dans le marbre évoquaient de jeunes Confédérés tombés au front, des mères décédées en enfantant, des nourrissons emportés par la typhoïde ou la grippe. Certaines tombes, à l'aspect plus moderne, reflétaient également de longues vies paisibles. Le cours naturel de la vie...

Molly s'arrêta devant l'une des plus récentes. Un bouquet de pois de senteur avait été récemment déposé sur la stèle. Ici, les inscriptions n'avaient pas encore subi l'érosion du temps, chaque lettre était parfaitement bien gravée dans le marbre étincelant.

« A notre fils chéri, notre frère bien-aimé, Remi Cameron Forrest, disparu à l'âge de vingt-deux ans. »

Dès l'âge de huit ans, elle l'avait idolâtré. Depuis le jour où Remi avait secouru sa poupée, tombée dans le ruisseau, et qui menaçait d'être emportée par le courant...

Il avait douze ans. A présent, elle était plus âgée que lui ne le serait jamais. Elle calcula que son jumeau, Jack, devait avoir presque trente-deux ans. Tels étaient les effets de la mort. Elle faussait les perspectives, inversait les relations, rendait obsolètes les concepts de « plus âgé », « plus jeune », « plus grand » ou « plus petit ». Elle figeait certaines personnes en plein vol, obligeant les autres à continuer sans eux.

Molly refoula une subite bouffée de ressentiment à l'idée que Jack était encore en vie, alors que Remi ne l'était plus.

Elle serra si fortement son bouquet entre ses doigts qu'une ou deux tiges cédèrent sous la pression. Soudain, elle sentit ses jambes flageoler, comme si elles n'étaient plus capables de supporter le poids de son corps. Elle eut la curieuse sensation que la terre s'affaissait sous elle et qu'elle allait s'y enfoncer. Cet endroit était-il toujours humide des rivières de larmes qu'elle y avait déversées, dix ans auparavant… ?

— J'étais certaine de te trouver ici.

La voix, à la fois ferme et voilée, fit sursauter Molly. Depuis combien de temps Lavinia Forrest, la tante de Remi, l'observait-elle à son insu ? La jeune femme pivota sur ses talons… En dépit de la décennie qui s'était écoulée depuis leur dernière rencontre, Lavinia n'avait pas changé. Elle avait toujours le même visage que lorsque Molly l'avait connue. Cheveux blancs coupés au carré par souci pratique, mâchoires déterminées. Comme à son habitude, elle était vêtue d'un pantalon et d'une veste bleu marine. En ce moment, elle scrutait Molly d'un œil à la fois bienveillant et pénétrant.

— Tu ne pleures pas, constata-t-elle. Parfait ! Cela ne servirait à rien de verser des larmes, après tout ce temps.

Un sourire éclaira le visage de Molly. Curieusement, les façons bourrues de Lavinia la rassuraient. Le monde pouvait bien s'écrouler, de jeunes gens être emportés dans l'éclat de la jeunesse, certains repères demeuraient immuables.

— Je m'apprêtais à vous rejoindre devant l'église, comme convenu, répondit-elle. Suis-je en retard ?

— Non, c'est moi qui suis en avance. Allons, pourquoi toutes ces formalités entre nous, ma petite Molly ? On ne s'embrasse pas comme de vieilles amies ?

Molly bredouilla quelques mots d'excuse avant de se retrouver dans les bras de Lavinia Forrest. Elle avait oublié à quel point celle-ci était grande, même si elle-même n'était pas particulièrement petite.

Et, subitement, elle eut la merveilleuse sensation d'être revenue à la maison... Le parfum de Lavinia lui était tellement familier ! Un mélange de savon naturel et de fleurs des champs. La senteur d'une femme qui nourrissait une véritable passion pour la flore. Une femme qui l'avait plus souvent prise dans ses bras que sa propre mère.

Lavinia l'enlaça longuement et chaleureusement, sa manière à elle de lui montrer qu'elle la comprenait et partageait ce qu'elle ressentait devant la tombe de Remi... Même si Lavinia avait profondément aimé ses deux neveux, elle avait toujours eu un petit faible pour lui. Ce qui était d'ailleurs fort compréhensible. Remi, avec son caractère affable et ses façons charmantes, était le favori de tout le monde. Jack, en revanche, ne se donnait pas la peine de séduire les autres.

Toute la ville avait pleuré Remi, mais sa perte avait particulièrement dévasté Lavinia. N'ayant ni mari ni enfant, elle avait reporté toute son affection sur son neveu adoré qui savait la taquiner et la courtiser comme personne. Remi parti, il ne lui restait plus que les fleurs en guise de compagnie... Sa pudeur l'empêcherait toujours de parler à cœur ouvert de ce qu'elle éprouvait, mais, au fond, sa façon d'enlacer Molly était suffisamment éloquente.

Relâchant son étreinte, Lavinia déclara :

— Bon, tu as vu la tombe, cela fait un peu mal, mais tu as courageusement surmonté l'épreuve. Je te propose maintenant de quitter cet endroit lugubre.

Molly acquiesça d'un signe de tête, puis se baissa pour déposer son bouquet de violettes, près des pois de senteur. Ses doigts ne tremblaient plus lorsqu'elle lissa le ruban qui retenait les tiges des violettes. Quand elle se releva, elle croisa le regard de Lavinia — le regard vert et intransigeant des Forrest. Un sourire aux lèvres, cette dernière passa son bras sous le sien et elles se dirigèrent vers la sortie du cimetière, sous les rayons réconfortants du soleil.

— Vous avez raison, Lavinia, il est grand temps que nous rentrions pour que je signe le contrat, décréta Molly d'un ton déterminé. Le printemps sera là avant que nous ne nous en rendions compte et j'ai des milliers de plantes à mettre en terre !

Appuyé contre le tronc du chêne qui bordait le terrain de football, Jack Forrest observait Tommy Cheatwood qui dribblait de manière admirable. Grâce à ses longues jambes minces, il parvenait à conserver le ballon rond en dépit des efforts acharnés de l'équipe adverse pour le lui arracher.

La frange blonde de Tommy était humide de transpiration et ses joues toutes rouges. Son regard et tout son corps étaient concentrés sur le ballon noir et blanc. Il l'envoya droit dans le filet.

Bon sang, que ce gamin était doué ! pensa Jack tandis que les applaudissements pleuvaient. Il se mit alors à siffler pour montrer à son tour son enthousiasme. Reconnaissant les notes familières, Tommy se retourna vers lui et tous deux levèrent un pouce complice.

Ross Riser, l'entraîneur de l'équipe de Tommy, se dirigeait vers le garçon en affichant un visage sévère.

— Qu'est-ce que c'est que ça, Cheatwood ? s'indigna-t-il.

Eh bien quoi ? se récria Jack à part soi. C'était une attaque directe pour marquer un but. N'était-ce pas ce qu'on recherchait ? Visiblement, Riser n'avait pas apprécié la démarche personnelle de Tommy et il le lui faisait savoir sans ménagement.

Allons, il devait se garder d'intervenir ! Tommy était suffisamment grand pour se défendre lui-même. Il fallait qu'il cesse de nourrir des réflexes si protecteurs envers lui.

Enfant, il avait lui aussi affronté les remarques exaspérées de ses entraîneurs et il avait survécu. Son côté indiscipliné en avait d'ailleurs agacé plus d'un à l'époque !

Annie Cheatwood, la mère de Tommy, émergea à cet instant de sa Sedan verte. Elle n'avait pas pu sortir plus tôt du magasin de bricolage où elle travaillait comme vendeuse. Jack la vit traverser avec une désinvolture consommée l'assemblée distinguée des parents. Les femmes portaient toutes des diamants aux oreilles ou en pendentif, et les pères arboraient uniformément des polos de golf et des pantalons kaki. La plupart la saluèrent gentiment, mais leurs visages réservés proclamaient clairement qu'Annie ne faisait pas partie de leur monde.

Jack n'était pas dupe. Si Annie n'avait pas appartenu à son cercle d'amis à lui, personne n'aurait pris la peine de la saluer. Une simple vendeuse, qui, en plus, possédait une taille fine et une poitrine avantageuse, ne devait pas frayer avec la fine fleur de Demery.

Soudain, il eut envie de rire. Lui, le garant de l'intégration d'Annie dans la bonne société ? Ne le considérait-on pas lui-même comme le mouton noir de la famille ? Il y avait fort à parier que le gotha de la ville ne lui aurait pas adressé la parole s'il n'avait pas hérité de la plantation de son père !

— Qu'est-ce qui t'amuse ? demanda Annie en arrivant à sa hauteur.

Là-dessus, elle fourra un chewing-gum à la fraise dans sa bouche et se mit à le mastiquer sans grande discrétion. Il tendit la main pour qu'elle lui en donne un. D'ordinaire, il n'en mâchait pas, mais, aujourd'hui, l'idée de provoquer cette *digne* assemblée — pour laquelle le chewing-gum était le comble du vulgaire — lui parut réjouissante.

— La vie, les gens, le chewing-gum, répondit-il. Tout me semble drôle, aujourd'hui.

— Je vois, fit-elle en le gratifiant d'un sourire désabusé. Tu es dans l'une de tes phases... un peu particulières, dirons-nous.

Comme attiré par une force magnétique, Ross Riser se matérialisa brusquement devant eux. Un grand sourire s'était substitué à son froncement de sourcils, ce qui eut le don d'agacer Jack. Depuis quelque temps, l'entraîneur de Tommy emmenait régulièrement Annie au restaurant ou au cinéma. En d'autres termes, il était amoureux.

— Bonjour, vous deux, dit Riser.

Il adressa un sourire énamouré à Annie, et un autre plus formel dans sa direction. De toute évidence, l'entraîneur ne se réjouissait pas particulièrement de le voir. Il représentait une énigme pour Riser, dans la mesure où il ignorait quelle relation exacte l'unissait à Annie.

— Bonjour, répondit froidement Jack, que reproches-tu à Tommy, exactement ? D'avoir marqué un but ? Ne souhaites-tu donc pas que notre équipe gagne ?

Sous le coup de l'accusation, Riser se mit à rougir. Jack comprit que l'entraîneur se demandait s'il faisait allusion au sombre secret qu'il cachait et dont il était au courant. Un secret qui crispait l'air entre eux, chaque fois que les deux hommes se rencontraient.

— Bien sûr que si, mais il s'agit d'un jeu d'équipe, et Tommy doit apprendre à passer le ballon à ses coéquipiers.

— Même s'ils sont bien trop lents ?

— Oui, même s'ils sont trop lents. En quoi cela te pose-t-il un problème, Forrest ?

— Assez, vous deux ! trancha Annie. J'entends suffisamment les hommes se disputer au magasin sans que vous vous y mettiez vous aussi.

— Désolé, dit Jack. C'est toi le coach, Ross, ajouta-t-il à l'attention de Riser, je m'incline devant tes décisions.

— Voilà qui est parlé ! le félicita Annie en effleurant sa joue d'un air moqueur.

Puis elle se tourna vers Ross, dont le beau visage s'était assombri, et ajouta :

— On se voit toujours vendredi ?

— Naturellement ! A 18 heures, comme convenu.

Ross lança alors un regard défiant à Jack avant de déposer un bref baiser sur les lèvres d'Annie. Puis il retourna s'occuper de ses joueurs.

Pendant quelques minutes, Annie et Jack regardèrent le match dans un silence lourd de sens jusqu'à ce que la jeune femme déclare :

— Je sais que tu n'apprécies pas ma relation avec Ross.

Les yeux rivés sur Tommy, Jack répondit d'un ton laconique :

— Effectivement, je n'apprécie pas.

Annie émit un léger bruit avec son chewing-gum, ce qui indiquait qu'elle était en colère.

— Bon sang, Jack ! Tu n'as nullement le droit de me dicter avec qui sortir.

— Je sais, concéda-t-il sur le même ton.

— Pourquoi Ross ne te plaît-il pas ? s'exclama subitement Annie d'un ton énervé. Explique-moi pour que je comprenne mieux. Sinon… tais-toi et reste en dehors de notre histoire !

— Ai-je déjà dit quelque chose contre lui ?

— Tu n'as pas besoin de dire quoi que ce soit, je sais parfaitement ce que tu ressens. Tu n'aimes pas Ross, c'est évident. Pourquoi ?

La brise avait fait voleter quelques mèches sur les joues rosies d'Annie. Jack les lui repoussa gentiment derrière les oreilles avant de répondre :

— Sans doute ai-je l'impression que Tommy et toi méritez mieux que lui.

— Crois-tu que les fils à papa de Demery voudraient d'une mère célibataire ? rétorqua-t-elle d'un ton dur.

— Annie, voyons…

— Non ! Tu sais parfaitement que j'ai raison. De toute façon, il ne s'agit pas de mariage entre Ross et moi, on sort juste ensemble de temps à autre. Ne t'inquiète pas, il ne va pas s'immiscer dans ma vie et devenir le père de Tommy.

Encore une fois, Annie avait deviné ses pensées. Il tourna rapidement la tête vers le terrain de football — plus pour l'empêcher de continuer sur cette voie dangereuse que pour suivre le match.

Tommy avait repris le ballon. Et, de toute évidence, il allait marquer un deuxième but. Le gamin était si débordant d'énergie et d'enthousiasme. Il avait besoin d'un père... Il en méritait un.

— Pardonne-moi, Annie. Tu as raison, cela ne me regarde pas.

Au bout d'un moment, la jeune femme lui étreignit doucement le bras. Quand elle reprit la parole, ce fut sur un ton plus posé.

— Je comprends que tu sois préoccupé en ce moment, Jack. N'est-ce pas ton ancienne petite amie que j'ai croisée cet après-midi, à Everspring ? Tu sais, cette jolie fille un peu bégueule qui habitait près de chez moi...

— Ce n'était pas ma petite amie, mais celle de Remi, précisa Jack en fronçant les sourcils.

A quel jeu jouait donc Annie ? Elle savait bien que Molly n'était pas sa petite amie !

— Si tu le dis, rétorqua Annie en passant affectueusement son bras sous le sien.

Il ne va pas s'accorder dans sa vie et devenu le [illegible]
Tommy.

Encore une fois, Agnès avait deviné ses pensées. Il trouva également drôle cette tentative de [illegible] — plus pour l'entendre se vanter sur ce qui [illegible] que pour [illegible] le [illegible].

Tommy avait rejoint le ballon. Et, de toute évidence, il [illegible] [illegible] [illegible]. Il [illegible] d'un [illegible]. Il [illegible].

— [illegible]. Regardez. Il est [illegible] [illegible].

Au bout d'un moment, la jeune femme lui [illegible] [illegible] [illegible] [illegible].

— Je comprends que tu sois préoccupé de ce [illegible] Jack. Je ne serai pas [illegible] [illegible] [illegible] [illegible].

— Ce n'était pas [illegible] [illegible] [illegible].

À quel jeu jouait donc Agnès ? Elle savait bien que [illegible] [illegible].

— [illegible] [illegible]

2.

C'était une matinée de fin d'hiver typique. Morne et sans vie, un cauchemar de jardinier. Il était trop tard pour le rouge vif des baies et trop tôt pour le jaune éclatant des bourgeons. L'herbe se déclinait dans un camaïeu de marron, encore en hibernation sous le ciel gris et lourd.

En haut des marches tapissées de mousse qui menaient aux anciennes offices de la plantation Everspring, Molly observait les berges de la rivière, imperméable au spectacle de l'hiver. Dans son imagination, c'était déjà le printemps... Azalées, tulipes, crocus et lilas se côtoyaient dans un allègre désordre multicolore sur les rives. Les arpents recouverts d'un gazon vert vif étaient ourlés de phlox roses, d'ancolies bleues et de dianthus violets. Elle voyait aussi des lumières de fin d'après-midi transcendées par l'éclat de chrysanthèmes mordorés.

Et, si elle fermait les yeux très fort, elle pouvait même apercevoir Remi qui courait dans le pré fleuri. Il venait vers elle, ses cheveux blonds et soyeux soulevés par le vent, le vert intense de ses yeux renforcé par les rayons du soleil. Un mystérieux sourire barrait son visage...

— Maman, viens ! Maman ! viens vite ! s'impatienta Liza. C'est vraiment très *cool*, ici.

La voix enthousiaste de Liza fit irruption dans sa rêverie mélancolique.

Rouvrant les yeux, elle refoula vivement les images qui remontaient du fond de sa mémoire, et s'interdit de pleurer. Elle n'allait tout de même pas céder au sentimentalisme, sous prétexte qu'elle foulait de nouveau le sol de la plantation. C'était justement pour éviter de tels accès qu'elle avait déserté Demery pendant de si longues années. Pour ne pas se laisser aspirer par des souvenirs aussi puissants que des sables mouvants, là où Remi avait habité, là où ils s'étaient aimés...

Du cran ! Elle pouvait résister aux larmes, elle le devait. Elle refusait de vivre dans le passé, aussi beaux que les jardins de naguère aient pu être. Ne devait-elle pas s'estimer chanceuse de s'en être si bien sortie ? Aujourd'hui, elle avait une vie, une carrière, un futur. Et elle avait aussi une petite fille, à qui elle avait l'intention de consacrer toute son attention.

— Regarde, maman, c'est un véritable labyrinthe, comme dans *Alice au pays des merveilles*.

— Il est fait en buis, répondit Molly en arrivant à la hauteur de sa fille. C'est un arbuste qui vient du Japon.

Elle ne manquait jamais l'occasion de lui enseigner un nouveau nom d'arbre ou de fleur. Liza retenait la leçon une fois sur deux, ce qui n'était déjà pas si mal. Aujourd'hui, sa fille ignora délibérément le cours de botanique. S'approchant à pas de loup de sa mère, des éclairs de malice dans les yeux, elle toucha son avant-bras en s'écriant :

— C'est toi le chat !

Puis elle se précipita vers le labyrinthe et disparut entre les haies de buis.

Molly hésita quelques secondes. Grâce à ses jeunes jambes vigoureuses, Liza courait certes plus vite qu'elle ;

en revanche, elle n'était pas familière des lieux. Pour sa part, Molly connaissait chaque allée du dédale, chaque tournant, chaque impasse, chaque passage secret. A l'âge de onze ans, elle avait appris à échapper à Jack quand il la poursuivait, une grenouille ou un lézard à la main.

A seize ans, elle avait autorisé Remi, le beau et séduisant Remi, à la rattraper…

Molly entendit le rire de Liza sans la voir. Et ce rire était contagieux. Alors, elle éclata de rire, elle aussi, et pénétra dans la première galerie, s'abandonnant à la joie que lui procurait la poursuite dans le labyrinthe, à la sensation revigorante du vent sur son visage…

— Tu peux bien courir, ma petite chérie, commença-t-elle en imitant la voix d'un ogre de dessin animé, mais tu ne m'échapperas pas !

Elle prit un premier tournant, éraflant les buis dans sa précipitation. Les gloussements de Liza lui firent comprendre qu'elle n'était plus qu'à quelques mètres. Elle accéléra le pas et s'apprêtait à la capturer au détour du couloir, lorsqu'elle entendit un hurlement. Un hurlement de peur…

— Liza ! s'écria Molly, paniquée.

Elle prit le virage à une allure folle, le cœur battant à tout rompre… avant de s'arrêter net ! Si la vision qui se présentait à elle ne l'avait pas figée sur place, elle se serait brutalement heurtée à l'homme qui se tenait devant elle. Il avait posé une main rassurante sur l'épaule de Liza, qui, de son côté, paraissait bouleversée. Visiblement, la fillette n'avait pas pu éviter l'obstacle imprévu.

Vérifiant d'un coup d'œil que Liza n'était pas blessée, Molly tourna son regard vers l'intrus.

« Remi », murmura-t-elle en son for intérieur. Et ce prénom versa du baume sur son cœur.

C'était exactement ainsi qu'elle le voyait en rêve. Les yeux vert vif, le front aristocratique, le menton carré, la crinière blonde et épaisse. De longs doigts agiles.

Le vertige familier du désir la cueillit à froid. Un bref accès de folie bien vite étouffé par un afflux de bon sens. Naturellement, ce n'était pas Remi qui se tenait devant elle. Remi était mort. Elle ne le reverrait jamais.

C'était son frère jumeau. C'était Jack.

Sans pouvoir s'en empêcher et au mépris de toute politesse, elle se mit à le détailler. Comme Remi, Jack était d'une beauté renversante. Une beauté qui caractérisait d'ailleurs chaque membre mâle de la famille Forrest, comme un droit acquis à la naissance.

Aujourd'hui, Jack était bien plus séduisant qu'à vingt-deux ans. Il était toujours aussi élancé qu'autrefois, et possédait le même corps d'athlète. A l'époque du lycée, Remi était le champion du ballon rond tandis que Jack était la star du sprint.

Quoi de plus naturel ! disaient alors les mauvaises langues. Jack n'avait-il pas une longue pratique de la course, lui qui était régulièrement poursuivi par le shérif de la ville ou les pères des filles qu'il poursuivait de ses assiduités ?

Molly le vit sourire. Lui aussi l'étudiait. Il possédait toujours les mêmes fossettes et le même petit air arrogant, mais son sourire était légèrement différent, aujourd'hui. Comme si les années avaient adouci le côté bravache qui le caractérisait autrefois.

— Bonjour, Molly, dit-il de cette voix à la fois si semblable et si différente de celle de Remi.

Se tournant vers Liza, il enchaîna :

— Tout va bien ? Quelle formidable collision ! Tu allais au moins à deux cents à l'heure.

Un sourire se forma sur les lèvres de Liza. Et le cœur de Molly se serra devant les fossettes, ô combien familières, de sa fille.

— Oui, je cours très vite, répondit-elle fièrement. J'espère que je ne vous ai pas fait mal, monsieur.

Se frictionnant les côtes d'un air faussement tragique, Jack répondit :

— Je crois que j'arriverais à survivre.

A cet instant, il redressa la tête et croisa le regard de Molly.

— Cela fait un bail, commença-t-il. Comment vas-tu ?

La gorge de Molly devint sèche.

Elle dut puiser dans ses ultimes ressources pour soutenir le regard de Jack. Elle avait l'impression de regarder un fantôme… Un fantôme qui la faisait frissonner, en lui évoquant de doux événements qui avaient eu lieu avec un autre que lui.

— Liza, articula-t-elle, peux-tu aller chercher mon sac à main dans la voiture ?

— Ton sac ? répéta Liza, étonnée. Pourquoi ?

— Je te le demande comme un service, insista doucement Molly.

D'un air intrigué mais dénué d'angoisse, Liza jaugea tour à tour sa mère et Jack, avant de marmonner :

— J'y vais.

Molly la regarda s'éloigner dans le labyrinthe vers la sortie.

S'éclaircissant la voix, elle leva la tête vers Jack.

— Je suis terriblement désolée pour Remi.

C'était une bien piètre introduction. L'inspiration lui manquait pour affronter la rencontre. Elle s'attendait si peu à croiser Jack à Everspring. Lavinia lui avait indiqué que sa résidence principale se trouvait désormais à New York, ville où il avait emménagé dès sa sortie de l'hôpital, dix ans plus tôt. Elle lui avait par ailleurs laissé entendre que Jack ne serait pas à Everspring pendant son séjour.

La tante des jumeaux l'avait-elle délibérément induite en erreur ?

Toujours était-il qu'elle n'avait pas préparé de discours pour ce face-à-face imprévu. Cependant, pourquoi était-il si difficile de lui parler ? C'était juste Jack, un ancien compagnon de jeux, celui qui jadis la consolait lorsque Remi lui brisait le cœur par sa désinvolture.

Elle inspira et reprit :

— Je ne pourrai jamais saisir l'ampleur de la perte que tu ressens, Jack, mais... mais je l'aimais, moi aussi, je l'aimais éperdument.

— Je sais.

Dans ses yeux s'alluma le même éclat railleur qu'autrefois.

— Aveuglément, aussi, si je me rappelle bien, ajouta-t-il.

Un sourire désarmant éclaira son beau visage, chassant toute trace de moquerie.

— Mais tout le monde ne lui vouait-il pas le même culte ? conclut-il.

A cet instant, les notes de la chanson préférée de Liza, une chanson apprise à l'école, s'élevèrent tout près du labyrinthe.

— Inutile de te demander si c'est ta fille. Elle est exactement comme toi, au même âge.

Elle savait que sa fille était son portrait craché. Toutes deux avaient les mêmes cheveux blonds et fins, les mêmes grands yeux bleus et le même teint qui rosissait à la moindre brise.

— Tu trouves ? dit-elle pour se donner une contenance.

Liza avait changé de registre et fredonnait à présent un des premiers tubes de Madonna. Jack fronça les sourcils, mi-amusé, mi-intrigué, et Molly ne put s'empêcher de sourire.

— Comme tu peux le constater, la ressemblance entre nous est uniquement physique. Pour ma part, j'ai toujours été incapable de chanter juste et mon répertoire a toujours été fort restreint. Liza est une enfant bien plus douée que je ne l'étais au même âge.

— Peut-être, Mo, fit Jack d'un air sceptique. Je pense cependant que tu te sous-estimais, à l'époque.

Molly fut surprise de l'entendre prononcer son ancien surnom. Surprise, ravie... et désarçonnée. Elle protesta :

— Oh non ! Je ne crois pas. J'étais si timorée que j'avais peur de ma propre ombre.

— Dans ces conditions, de qui ta fille a-t-elle hérité sa confiance en elle ?

Molly comprit brusquement que l'heure de vérité venait de sonner. Jack venait de lui poser la question que personne ne s'aventurait jamais à lui demander : qui était le père de Liza ?

En temps normal, Liza n'aurait pas eu hâte de rejoindre sa mère et l'inconnu avec qui elle était entrée en collision. Les grandes personnes avaient toujours des conversations fort ennuyeuses. Et rencontrer de nouveaux adultes était pénible. Ils posaient toujours les mêmes questions idiotes, du type : « Quelle est ta matière préférée à l'école ? » « Comment fais-tu pour être déjà si grande à ton âge ? »

Néanmoins, cet adulte-là était différent. Voilà à peu près un an qu'elle recherchait la personne idéale pour incarner le roi Chantsaule. Elle avait presque renoncé et voilà qu'il avait surgi du labyrinthe, comme par miracle. Dès l'instant où elle avait croisé son regard vert et décidé, admiré ses cheveux couleur blond cendré, elle avait immédiatement compris qu'elle avait trouvé le roi de la planète Cuspiane, autrement dit son royaume imaginaire.

Il devrait toutefois prouver qu'il avait bien l'étoffe d'un roi ; ses yeux et ses cheveux plaidaient en sa faveur, mais ne suffisaient pas. L'épreuve serait difficile. S'il était réellement le roi qu'elle attendait, il devrait se rendre compte que la reine de la planète Cuspiane n'était autre que sa mère.

Par conséquent, elle devait se dépêcher de les rejoindre tous les deux. Elle avait noté le regard amusé du possible roi Chantsaule lorsqu'il avait salué sa mère. C'était peut-être le regard qu'un souverain adressait à une reine... Hélas ! Sa mère l'avait renvoyée avant qu'elle n'ait le temps de vérifier ses impressions.

Alors qu'elle allait s'engager dans le labyrinthe, une voix s'éleva derrière elle :

— Bonjour !

Elle voulut d'abord ignorer le salut, mais se ravisa. Ce n'était pas très gentil. La princesse de Cuspiane ne pouvait pas se comporter de façon si grossière.

Pivotant sur ses talons, elle découvrit une femme du même âge que sa mère, mais vêtue de façon plus sexy, comme dans les shows télévisés. Elle portait un pantalon moulant et un gros ceinturon. Pourtant, cette dame n'était pas une Roudeboue. Bien sûr, elle mettait trop de parfum et trop de rouge à lèvres, mais ce n'était définitivement pas une Roudeboue.

Liza savait que cela agaçait sa mère, mais elle ne pouvait s'empêcher de classer les gens en fonction des espèces qui vivaient sur sa planète imaginaire. Chacun était soit un Chantsaule, soit un Roudeboue, c'est-à-dire soit un gentil, soit un méchant.

Bien sûr, elle faisait la différence entre la réalité et son monde fictif, mais cette catégorisation lui simplifiait la vie. La plupart des gens étaient des Chantsaule, ce qui était tout de même rassurant, à bien y réfléchir.

Les Roudeboue qu'elle connaissait étaient presque tous des personnages de film. A part Mme Geiger, sa professeur de piano, qui lui tapait sur les doigts à chaque fausse note. Elle, c'était une véritable Roudeboue. Ou cette mère de famille croisée à l'épicerie, un jour, et qui hurlait en secouant son enfant sans ménagement. Définitivement une Roudeboue. Mais ce genre de personne était assez rare.

Comme elle s'approchait de la dame pour voir ce qu'elle voulait, elle aperçut un petit garçon qui traînait des pieds derrière elle. Ça alors, elle le connaissait ! Elle l'avait vu à Radway, quand elle avait visité l'école, quelques semaines auparavant.

Comment s'appelait-il déjà ? Ah oui, Tommy !

Difficile de l'oublier. Lors de sa visite à l'école, la maîtresse n'avait pas cessé de le gronder. De prime abord, Liza l'avait classé dans la catégorie des Roudeboue. Puis, après l'avoir observé plus attentivement, elle n'avait plus été aussi sûre de son classement. Certaines personnes se comportaient parfois comme des Roudeboue, mais quelque chose dans leur regard indiquait qu'ils avaient réellement de bonnes raisons d'agir ainsi.

— Je suis Annie Cheatwood, déclara la dame. Quant à toi, je mettrais ma main au feu que tu es la fille de Molly. La ressemblance est frappante.

Liza hocha la tête en signe d'acquiescement.

C'était exactement ce que lui répétait sans arrêt sa grand-mère. Pour avoir vu des photos de sa mère au même âge, elle savait que c'était vrai. Surtout sur celles où sa mère souriait. Pas sur celles où il lui manquait des dents, ou bien où elle semblait triste.

Curieux, pensa Liza, que sa mère ait connu une dame qui sentait si fortement la laque, le chewing-gum à la fraise et... le bois ! Au fond, le mélange était agréable. Pour sûr, elle n'était pas une Roudeboue.

— Je m'appelle Liza, dit-elle à son tour.

— Ravie de faire ta connaissance, répondit Mme Cheatwood. Je te présente Tommy, mon fils. Vous devez avoir le même âge.

Liza regarda Tommy.

Mains croisées derrière la tête, ce dernier fixait le ciel. Alors qu'il n'y avait pas le moindre avion en vue ! Elle ne jugea pas nécessaire de le saluer, puisqu'il ne prêtait pas la moindre attention à la discussion.

— Nous cherchons Jack, reprit Mme Cheatwood. Jack Forrest. Il habite ici, mais il n'y a personne à la maison. L'aurais-tu vu ?

— C'est possible. Ma mère a rencontré un homme dans le labyrinthe, mais elle ne m'a pas dit son nom.

— Comment est-il ? Grand, blond et beau ? Des yeux verts à se damner ?

— Maman, je t'en prie ! intervint alors Tommy d'un ton réprobateur.

Liza coula de nouveau un œil vers lui. Il arrachait les feuilles d'une branche de chêne qui ployait jusqu'à sa hauteur, tout en faisant mine de ne pas la voir.

— Ce doit être lui. Il est blond, avec des yeux verts. Je suppose qu'il est toujours dans le labyrinthe.

— Parfait ! J'espère qu'il va m'aider à corriger ce petit monstre.

— Je m'en fiche, marmonna Tommy, de mauvaise humeur.

— Je te préviens, Tommy, si tu continues, tu vas passer un sale quart d'heure.

Là-dessus, Annie Cheatwood se dirigea d'un pas assuré vers le labyrinthe.

« Des yeux à se damner », pensa Liza. Oui, cela correspondait tout à fait au regard que le roi Chantsaule se devait de posséder.

Un bruit de feuilles froissées l'avertit tout à coup de l'arrivée imminente de quelqu'un. Molly poussa un soupir de soulagement : elle n'aurait pas à répondre à la question de Jack. Jamais elle n'avait été aussi heureuse d'entendre des pas.

Pourtant, elle avait un mensonge tout prêt en stock. Un mensonge bien étudié, émaillé de nombreux détails, de sorte que, parfois, elle y croyait elle-même. Un mensonge qui pourrait duper toute la population de Demery, si nécessaire.

Mais ce merveilleux mensonge, qu'elle avait pourtant répété des centaines de fois, n'avait pas voulu franchir ses lèvres, face à Jack. Il était resté bloqué dans sa gorge, et, tandis que ce dernier la considérait d'un air de plus en plus étonné, elle n'avait été capable de bredouiller que quelques mots inintelligibles.

— Allons, Molly, tu peux me dire qui est le père de…

— Dieu merci, te voici !

La brune voluptueuse qui venait de prononcer ces propos émergea d'une allée, telle une diva faisant son entrée sur scène.

— Je te préviens, Jack, poursuivit-elle en pressant sa main sur son cœur, si tu ne fais pas entendre raison à ce petit chenapan, je... Ah ! J'hésite encore entre le jeter dans un volcan ou le réduire en chair à pâtée.

— Pourquoi ne le vends-tu pas aux gitans ? proposa Jack dans un sourire affable. Tu ferais d'une pierre deux coups : non seulement tu te débarrasserais de lui, mais tu gagnerais de l'argent.

— Ils n'en voudraient pas !

— Dans ces conditions, nous sommes obligés de le garder. Nous allons réfléchir aux mesures à prendre pour le remettre sur le droit chemin, déclara Jack, avant d'ajouter sur un ton gentiment paternaliste : Annie, dis bonjour à Molly.

Se tournant vers cette dernière, il poursuivit :

— Tu te souviens d'Annie Cheatwood, n'est-ce pas, Molly ? Elle était un peu plus âgée que toi. Elle a passé son bac en même temps que Remi et moi. Et voici son petit garçon...

Jack posa alors la main sur la tête du garçonnet, lequel ne tenta pas de se dérober, comme le nota Molly.

— ... Tommy qui, contrairement aux apparences, sait aussi se comporter de façon charmante.

Molly le reconnut immédiatement. C'était le garnement qui, à Radway, tourmentait une petite fille en la contraignant à faire la brouette en dépit de ses protestations. Le petit garçon qui lui avait rappelé...

Une idée s'imposa à elle : Jack était-il le père de Tommy ?

Posée brutalement, cette question avait l'air absurde. Jack n'avait-il pas présenté Tommy comme le fils d'Annie, pas le sien ? Et pourtant… Se pouvait-il que Jack ait refusé de reconnaître son fils et d'épouser sa petite amie enceinte de lui ?

Impossible ! Même si tout en Tommy clamait sa ressemblance avec les Forrest. Ses longues jambes, ses cheveux cendrés, ses yeux verts, son nez droit et haut. Jusqu'à ses narines légèrement évasées.

Décidément, l'impression qu'elle avait furtivement éprouvée à Radway, en découvrant Tommy Cheatwood, n'était pas une illusion. Dans quelques années, le petit garçon posséderait assurément toute la superbe des Forrest.

— Bonjour, Molly, déclara Annie en lui souriant chaleureusement. Je suis heureuse de te revoir, après tout ce temps. Tu n'as pas pris une ride ! N'est-ce pas, Jack ? Elle n'a pas changé !

Détournant enfin les yeux de Tommy, Molly adressa à son tour un sourire à Annie. Bien sûr qu'elle se souvenait d'elle ! La tonitruante et sexy Annie Cheatwood qui transportait toujours les garçons les plus populaires du lycée, dans sa Sedan verte.

« Le péril vert », c'était ainsi que les garçons avaient baptisé la voiture. Officiellement, Molly était horrifiée et ne se serait jamais aventurée à monter dans le véhicule d'Annie. Mais, au fond d'elle-même, elle admirait la Sedan, qui était assez célèbre pour posséder un surnom.

Annie habitait la même rue qu'elle, dans un quartier modeste. Cependant, la mère de Molly avait toujours toisé la famille d'Annie sous prétexte qu'elle n'entretenait pas soigneusement sa pelouse ni ne repeignait régulièrement ses volets.

— Dieu merci, nous ne sommes pas aussi vulgaires qu'eux ! répétait souvent la mère de Molly d'un air dédaigneux.

A cause de leur différence d'âge, Molly n'était pas réellement l'amie d'Annie ; quatre ans, au lycée, c'était un gros écart. En outre, elle était trop timide, trop prude, et trop collet monté pour intéresser sa voisine.

Secrètement, elle aurait aimé ressembler à Annie, car la jeune fille n'avait pas honte d'être pauvre, et se moquait du qu'en-dira-t-on. Pour elle, la valeur d'un homme ne se mesurait pas à l'aune d'une pelouse entretenue ou négligée. C'était là une sagesse que Molly lui enviait et n'avait pas atteinte — pas même aujourd'hui…

— Merci, Annie, répondit-elle enfin. Toi aussi, tu es toujours aussi belle.

Et si c'était Annie qui avait refusé que le père reconnaisse son enfant, et non l'inverse ? s'interrogea subitement Molly. Un tel parti pris n'aurait pas été surprenant de sa part. Pour cette jeune femme dénuée du moindre préjugé, Tommy était un enfant tout aussi légitime, qu'il s'appelle Cheatwood ou Forrest.

— Désolée de vous avoir dérangés, mais j'ai réellement besoin de l'aide de Jack, se justifia Annie.

Elle jeta alors un coup d'œil furieux à son fils, qui détourna immédiatement le regard, d'un air ennuyé. Dans cette attitude défiante, il ressemblait plus que jamais aux Forrest, pensa Molly.

—Sais-tu ce qu'il a fait ? Il a cassé la figure de Junior Caldwell. Et il refuse de s'excuser et de dire qu'il regrette son geste.

— Je ne regrette rien, décréta Tommy en relevant le menton. Veux-tu réellement me pousser à mentir ?

— Oui, c'est ce que je souhaite, s'exclama Annie en plissant les yeux. Cela s'appelle les bonnes manières. Et, si tu ne t'y plies pas, je peux te garantir que tu te souviendras de la correction que tu vas recevoir.

— Je ne m'excuserai pas, persista Tommy. Junior Caldwell est le plus gros ectoparasite qui existe au monde.

Jack étouffa un rire, et Annie lui donna un coup de coude discret dans les côtes.

— Cette semaine, ils ont appris une liste de vocabulaire scientifique, à l'école, précisa-t-elle entre ses dents.

Molly perçut alors une nette envie de rire dans la voix de la mère mécontente. Cependant, Annie ajouta d'un ton implorant :

— Fais-lui entendre raison, Jack ! Les Caldwell menacent de porter plainte et de faire exclure Tommy de Radway.

— Je m'en fiche, intervint crânement Tommy. Il n'y a que des snobs et des fils à papa dans cette école.

— Certaines institutions sont décidément immuables, commenta Jack à mi-voix. Calme-toi, Annie. Tommy et moi allons avoir une discussion d'homme à homme.

— Merci, tu es un ange, Jack ! répondit Annie en souriant. Et, pendant que tu y es, tu pourrais peut-être…

Elle désigna alors du menton les cheveux de son fils et mima des ciseaux avec ses doigts.

— Pas question ! s'exclama vivement Tommy.

— Désolé, Annie, sur ce point, je ne peux pas intervenir, annonça Jack. Il y a certaines batailles que tu dois mener toi-même, ma chérie.

Confuse, Molly assistait à la scène sans comprendre les liens qui unissaient Jack et Annie. Ils avaient l'air complices, voire partenaires, en ce qui concernait l'éducation du petit garçon. Ils communiquaient en toute décontraction et se comprenaient à mi-mot. Le tout représentait un mélange fort troublant pour Molly.

Subitement, une bouffée d'envie la submergea.

Comme elle aurait aimé disposer d'une telle complicité en cas de difficultés, elle qui avait toujours dû régler ses problèmes toute seule. Quelqu'un qui l'aurait aidée à aplanir les obstacles…

Soudain, elle sentit une petite main prendre la sienne. Baissant la tête, elle croisa le visage mélancolique de sa fille. Son cœur se serra. Peu importe si le trio qui se tenait devant elles n'était pas une véritable famille. Pas un couple au sens où on l'entendait habituellement. Pas des parents classiques. L'important, c'était qu'ils *donnaient l'impression* de former une famille.

Face à ce tableau familial et rassurant, Molly et Liza étaient comme deux enfants pressant leur visage contre la vitrine d'une confiserie. Ne sachant que dire pour chasser la mélancolie envieuse qui brillait dans les yeux de sa fille, Molly lui murmura :

— Je t'aime, ma chérie.

— Je sais, répondit Liza avec douceur, les yeux rivés sur Jack.

3.

Tommy était assis à côté de Jack, sur un banc de bois qui surplombait la rivière. Bien qu'ils fussent là depuis au moins cinq minutes, Jack n'avait pas prononcé un seul mot.

Oh, il savait pourquoi l'ami de sa mère l'avait conduit ici ! Pour lui faire la leçon et lui expliquer en long et en large pourquoi on ne devait pas se bagarrer à l'école.

Jack pouvait bien le sermonner, il s'en fichait ! Les adultes ne connaissaient pas Junior Caldwell, ils n'imaginaient pas à quel point il était sournois. D'ailleurs, il ne regrettait pas de lui avoir cassé la figure.

De toute façon, Jack n'avait pas à le chapitrer. Il n'était pas son père. Ni son oncle, ni son frère, pas même le principal de l'école. Il ne représentait rien pour lui, c'était juste un homme qui tournait autour de sa mère. Et il n'était pas le seul.

Pourquoi cherchaient-ils tous à impressionner sa mère en jouant les pères avec lui ? Il en avait assez de leurs sourires forcés et de leurs mains qui ébouriffaient ses cheveux. Sans compter leur complicité à quatre sous avec des questions du type : « Comment va mon petit gars, aujourd'hui ? » C'était à croire que tous les hommes de Demery voulaient postuler au rôle de père.

Tout le monde à l'exception de son véritable père. D'ailleurs, où était-il, celui-là ? Que faisait-il ?

Tiens, c'était décidé ! S'il le rencontrait un jour, il lui casserait la figure à lui aussi.

D'un geste rageur, il donna un coup de pied dans des galets qui décoraient l'aire de pique-nique où ils étaient assis. Il commençait à faire très chaud. Jack avait prétexté qu'il avait besoin de son aide pour transporter des plantes destinées à la vieille Mlle Forrest. Elles étaient très lourdes à déplacer. Il était d'autant plus furieux que Jack avait requis ses services pour ce travail pénible afin de se retrouver en tête à tête avec lui... et de le gronder.

Il coula un œil vers Jack. Bon, qu'est-ce qu'il attendait pour commencer la leçon de morale ?

Comme s'il avait oublié sa présence, Jack se pencha pour ramasser un galet blanc. Il le choisit avec soin, vérifia son poids, sa taille puis le jeta dans la rivière d'un mouvement sûr et vif du poignet. Le galet ricocha une, deux, trois, quatre, *cinq* fois avant de disparaître sous l'eau...

— Génial ! marmonna Tommy en dépit de sa détermination à garder le silence.

A son tour, il s'empara d'un galet et l'envoya dans l'eau. Il s'enfonça au bout de deux ricochets. Sans faire aucun commentaire, Jack se baissa de nouveau pour sélectionner d'autres galets. Il en tendit deux à Tommy.

— Il est préférable de les choisir plats, lui indiqua-t-il. Et il faut bien faire pivoter le poignet lorsque tu les lances.

Au bout du troisième essai, Tommy en était à quatre ricochets et se sentait un peu moins maussade. Après tout, il s'était peut-être trompé sur les intentions de Jack.

— Alors, dit Jack en lui montrant une nouvelle fois le mouvement de poignet qui devait accompagner le lancer de pierre, ce Junior Caldwell, il est très grand, je crois ?

Tommy prit une large aspiration et lança son galet avec application. Quatre ricochets. Il était convaincu qu'il était capable d'améliorer le score.

— Pas du tout ! rétorqua-t-il. On dirait une fille. Il s'est mis à pleurer lorsque je lui ai cassé la figure.

— Pardon ? dit Jack en sourcillant. Tu as frappé un garçon qui ressemblait à une fille ?

Tommy se mit à rougir, mal à l'aise.

— Je t'assure, c'est vraiment un sale hypocrite, il m'avait provoqué. Il n'attendait que cela.

— Ah bon ? dit Jack en secouant des galets dans sa paume, comme s'il s'était agi d'osselets. Dans ces conditions, tu ne pouvais pas réagir autrement, je suppose.

Ce qu'il pouvait faire chaud ! se dit Tommy. Pourquoi sa mère avait-elle insisté pour qu'il mette une veste ?

Il lança quatre galets successifs dans la rivière qui scintillait doucement sous les rayons du soleil. Elle les engloutit les uns après les autres, sans le moindre ricochet.

— Exact, renchérit Tommy.

— Prends ton temps, lui conseilla Jack en lui tendant une autre pierre. Il faut y aller en douceur, avec subtilité. Regarde encore une fois le mouvement de mon poignet.

Il lui fit une nouvelle démonstration. Le galet parut lui glisser des doigts pour aller rebondir en souplesse sur la surface brillante de l'eau où il effectua cinq ricochets.

Jack était vraiment fort.

— Tu sais ce que m'a dit Junior Caldwell ? demanda-t-il.

Jack semblait entièrement concentré sur son galet, totalement absorbé par le jeu d'adresse.

— Non, dit-il. Quoi ?

Tommy se mordilla la lèvre. En se rappelant les propos de Junior, il avait presque envie de pleurer.

— A la cantine, Jimmy Carslile a dit qu'il avait vu Ross Riser acheter des clous au magasin où travaille ma mère. Alors Junior a dit que c'était pour la clouer au plancher. Tu comprends ce qu'il insinuait, n'est-ce pas ?

— Oui, je vois, répondit gravement Jack. Ton petit camarade Junior Caldwell est réellement stupide.

— Ce n'est pas mon camarade ! Je le déteste. Et puis, c'est un enfant gâté. Une fois, il m'a invité à passer la nuit chez lui. Tu sais combien il a de jeux vidéo ? *Vingt-cinq !* Il a même sa propre télé dans sa chambre. Le pire, c'est qu'il dort avec un chien en peluche qui s'appelle Mordillon, et il n'a même pas essayé de me le cacher.

— Mordillon ? Effectivement, c'est embarrassant, approuva Jack.

— Mais ce n'est pas tout !

Il se rappelait la nuit passée chez Junior dans ses moindres détails. Ce qu'il avait vu l'avait écœuré... Bien sûr, M. Caldwell était très gentil, même s'il gâtait bien trop son fils. Il avait joué au ballon avec eux et il les avait même regardés jouer aux jeux vidéo. Il avait d'ailleurs complimenté Tommy sur ses performances au jeu de Vampire Baster.

— Sais-tu que Junior ne peut pas s'endormir si son père ne lui lit pas les résultats sportifs en guise de conte ? Franchement, c'est pathétique.

Jack parut un instant songeur, et Tommy eut un doute : celui-ci pensait-il qu'il était jaloux de Junior ? Ça alors, il n'était absolument pas jaloux de ce... de ce bébé ! Bon, il reconnaissait que M. Caldwell avait une belle voix de conteur. On se sentait réellement en sécurité quand il énumérait les records et les noms des sportifs— surtout après les jeux vidéo avec les vampires...

Bah ! Un grand garçon n'a
des histoires pour s'endormir.

— Pathétique, c'est le mot, déclara
qu'une poule mouillée, pas un réel adv
mon avis, dis-lui que tu es désolé, ta mère
et l'affaire sera réglée. Tu ne vas pas te laiss
par ces enfantillages.

Curieusement, Tommy se sentait à présent en me
de faire plaisir à sa mère. Discuter avec Jack lui avait fa
du bien. Comme par magie, sa colère s'était envolée.

— Entendu, marmonna-t-il en lançant un dernier galet. Si cela peut contenter tout le monde…

… Quatre, cinq, *six* ! Six ricochets !

Super ! Il avait fait aussi bien que Jack.

Ils se tapèrent dans la main pour fêter cette victoire.

Finalement, Jack ferait un très bon père, pensa Tommy sur le chemin du retour. Oh, il n'était pas dupe. Il savait, que, sans en avoir l'air, Jack lui avait fait passer un *message*. Aussi jugea-t-il nécessaire de préciser :

— Je dirai à Junior que je suis désolé. Mais, s'il recommence à dire des méchancetés sur maman, il subira des représailles de ma part et il ne faudra pas qu'il vienne pleurnicher.

— Eh bien dis donc, toi, tu voyages légèrement ! s'exclama Annie en déposant la dernière valise de Molly dans le salon du bungalow d'Everspring réservé aux amis de passage. Je ne pourrai jamais faire tenir toute ma garde-robe et mon maquillage dans si peu de bagages ! Enfin, je présume que les filles convenables n'ont pas besoin de maquillage.

de tenir rigueur
s'était gentiment
de la voiture au

besoin d'être très
ts, c'est amplement
x vidéo de Liza qui

udoir du sofa, souleva
es moulées dans un
issait pas la moindre
isser sur le sofa. Une
fois correcte… a ses chaussures.

— Ta fille est-elle elle… ne fan de jeux vidéo ? C'est la grande passion de Tommy. Il passe son temps à jouer devant l'écran. Sauf quand il trouve plus amusant de casser la figure à ses petits camarades de classe, ajouta-t-elle, d'un ton fataliste.

Annie semblait tout à fait à l'aise dans le bungalow, remarqua Molly. Etait-ce sa manière d'être habituelle… ou était-elle familière des lieux ?

Quant à elle, elle connaissait bien l'endroit pour y être venue des années auparavant, en compagnie de Remi. Ce qu'ils avaient pu se quereller sur ce sofa ! Selon un scénario bien réglé, Remi la pressait vivement de céder à ses ardeurs, elle se dérobait, et la scène se terminait immanquablement de la même façon : Remi la reconduisait chez elle dans un silence méprisant tandis qu'elle pleurait aussi discrètement que possible, dans la décapotable.

A y repenser aujourd'hui, elle se rendait compte que c'était une scène stéréotypée : le garçon le plus séduisant et le plus fortuné de la ville harcelait sa petite amie, plus jeune et bien trop timide à son goût, tandis que la jeune fille tremblait de son côté à l'idée de perdre l'amour de sa vie…

A l'époque, elle était loin de voir un cliché dans la situation à la fois confuse et douloureuse qu'elle vivait. Elle suppliait Remi d'être compréhensif et patient, tout en redoutant le jour où il mettrait ses menaces à exécution, c'est-à-dire la quitter pour une fille plus facile… Or, elle ne pouvait imaginer vivre sans lui.

Quelle ironie du sort ! Elle avait fini par devoir vivre sans lui, mais pas pour les raisons qu'elle craignait.

Et, entre Annie et Jack, comment les choses s'étaient-elles passées ? se demanda-t-elle subitement. A supposer que ses supputations étaient exactes, et que le couple s'était lui aussi donné rendez-vous ici. Elle imaginait des murmures coquins, des rires étouffés, des bruits de bouteilles vides roulant par terre lorsque les chaussures et les sous-vêtements volaient dans la pièce…

— Maman !

Liza venait d'apparaître dans l'encadrement de la porte, une cassette du *Magicien d'Oz* dans une main, une poupée vêtue d'une robe de princesse en satin rose dans l'autre.

— Regarde ce que j'ai trouvé dans la petite chambre. Il y a même une peluche. Tu crois que je peux jouer avec ?

— Bien sûr, lui assura Molly. Je suis certaine que tante Lavinia les y a déposées à ton attention. Demain, tu feras sa connaissance. Elle te plaira, j'en suis sûre.

Radieuse, Liza s'en retourna dans sa chambre, non sans murmurer un premier secret à la princesse aux cheveux bouclés et à la tiare scintillante.

— Tante Lavinia ? répéta Annie, amusée. Les Forrest te considèrent-ils comme un membre de la famille ?

Comment répondre à cette question ? Elle avait désespérément souhaité faire partie de la famille, autrefois.

Ces espoirs s'étaient évanouis, dix ans plus tôt, lors de l'accident qui avait coûté la vie à Remi.

Elle ressentit un léger pincement au cœur en se rappelant la façon dont la mère de Remi l'avait évitée, aux funérailles. Sans parler de l'accueil glacé qu'elle lui avait réservé à l'hôpital, lui interdisant l'accès à la chambre de son fils. Il était la plupart du temps inconscient, avait-elle dit. Elle lui transmettrait ses salutations. Il était inutile que Molly revienne.

— Oh, je n'irai pas jusque-là, répondit-elle.

A quoi bon ressasser le passé ? Néanmoins, la curiosité qui brillait dans les yeux d'Annie lui fit ajouter :

— Lavinia a toujours été adorable avec moi. Je l'appelais déjà ainsi, autrefois. J'en ai gardé l'habitude.

— Lavinia est un ange, approuva Annie. Ce qui n'était pas le cas de sa belle-sœur. Elle me faisait penser à un paon ! Elle donnait l'impression que personne n'était assez noble pour respirer le même air que les Forrest.

La comparaison fit sourire Molly. Il était vrai que Giselle Forrest avait des airs de paon, avec ses vêtements haute couture et ses coiffures tout aussi sophistiquées.

— Peut-être gagnait-elle à être connue, hasarda-t-elle.

— Sans vouloir t'offenser, je crois franchement que tu te trompes, répondit Annie en éclatant de rire.

Molly n'insista pas. Elle se rappela Giselle Forrest à l'hôpital le jour où elle avait appris l'accident. Elle était impeccable, comme toujours. Rien ne manquait à l'appel : ni les diamants, ni les talons aiguilles, ni le rouge à lèvres. Molly devait avoir l'air d'une loque humaine. Ce jour-là, elle avait doublement détesté Giselle. D'abord pour la rebuffade qu'elle avait subie, puis pour l'élégance de sa mise, alors que son fils était à l'article de la mort.

Des années plus tard, en apprenant que Giselle Forrest était décédée des suites d'un cancer du foie, Molly avait finalement compris que la mère de Remi avait farouchement caché son chagrin. Son assurance excessive était sa façon toute personnelle de se protéger. La broche en diamant qu'elle arborait à la boutonnière n'était qu'une armure placée sur un cœur aussi brisé que celui de Molly.

— Je me suis toujours demandé comment une personne de cet acabit pouvait avoir un fils aussi convenable que Jack, poursuivit Annie.

— Ou que Remi, compléta vivement Molly.

— Jack ou Remi, concéda Annie. Comment cette femme a-t-elle bien pu avoir des enfants, la question demeure entière à mes yeux.

A cet instant, Liza refit son apparition dans le salon.

— Excusez-moi, commença-t-elle poliment. Maman, sais-tu où sont mes affaires ? Je voudrais jouer avec mes poupées.

Molly tendit un sac rempli à craquer de jouets à sa fille qui regagna tranquillement sa chambre. Comme elle lui enviait sa capacité d'adaptation ! Elle savait qu'il suffisait à sa fille de quelques écharpes à paillettes en guise de costume, des dessins exécutés de sa propre main pour la décoration, des poupées aux allures de princesse, pour que sa nouvelle chambre se transforme en planète Cuspiane, son royaume imaginaire.

Annie jeta un œil vers la maigre pile de bagages qui venait encore de diminuer et commenta :

— De toute évidence, et sans jeu de mots, tu n'as pas l'intention de prendre racine ici !

— Je suis ici en mission, pour aménager et transformer les jardins d'Everspring, répondit Molly en souriant tranquillement. Dans quelques mois, je repartirai à Atlanta. C'est là-bas que je me sens chez moi. Plus ici.

Elle se baissa pour ouvrir une grande valise — la plus grande — qui regorgeait de magazines et de brochures de jardinage ainsi que de matériel à dessin. Elle se rapprocha de la fenêtre près de laquelle était placé un guéridon. C'est ici qu'elle travaillerait. La lumière était parfaite et les pelouses en terrasse descendant vers la rivière tout à fait stimulantes pour l'inspiration.

— J'ai entendu dire que tu t'étais établie à ton compte, dit Annie. Les affaires marchent bien ?

Sa voix était neutre. Trop neutre. Que cherchait-elle donc à savoir ?

— Je ne me plains pas, répondit-elle sur un ton circonspect.

— Tout de même, Molly, avoue qu'avec un deuxième salaire les fins de mois seraient bien plus faciles à boucler, non ? N'as-tu jamais pensé à trouver un mari ?

« Nous y voilà », songea Molly.

Elle se mit à installer méticuleusement chacun de ses pinceaux sur le guéridon, tournant le dos à Annie.

— Liza et moi sommes parfaitement heureuses toutes les deux.

— Allons, Molly, ne le prends pas mal ! Moi aussi, je suis une mère célibataire, donc je sais de quoi je parle. En vérité, je me demande pourquoi tu es revenue ici.

— C'est très simple. Je m'en sors correctement à Atlanta, mais jamais on ne m'a proposé un contrat aussi alléchant, tant d'un point de vue financier qu'artistique, que celui que m'offre Lavinia. Et puis, la mention d'Everspring fera son petit effet, auprès de ma future clientèle. La Caroline du Sud évoque toujours Scarlett O'Hara et tout un passé prestigieux.

— Je comprends, dit Annie. Alors, tu es réellement revenue pour le contrat ?

— Evidemment ! Pour quoi d'autre ?

— Eh bien, je me demandais si…

Annie parut hésiter une seconde, elle d'ordinaire si spontanée.

—… Oh, et puis, après tout, autant le dire clairement. Je me demandais si tu n'étais pas revenue à cause de Jack.

Jack ? Molly comprit soudain la curiosité d'Annie. La jeune femme avait des vues sur lui et redoutait de voir en elle une concurrente ! Elle eut envie de rire. Si Annie savait à quel point elle se trompait. Si elle savait combien il lui était pénible de se retrouver en présence de Jack. Il affichait le même visage que Remi, habitait le même corps, en toute désinvolture, comme s'il ne suspectait pas l'effet terrible que la ressemblance produisait sur elle. Sans le vouloir, par un simple sourire, il éveillait en elle des émotions qui auraient dû y rester à jamais enfouies.

— Non, Annie, dit-elle en secouant vigoureusement la tête, je ne suis pas revenue à cause de Jack, mais *en dépit* de lui.

Jack tentait de se concentrer sur les cartes qu'il tenait à la main, et d'oublier le petit carré de lumière qui brillait dans sa vision périphérique, comme un feu orange. Une lumière qui provenait du bungalow réservé aux amis. Il essayait de ne pas voir la silhouette mince qui, de temps à autre, dessinait une ombre chinoise derrière les rideaux tirés.

Il détestait la canasta. Il était d'ailleurs un piètre joueur. Pourquoi diable avait-il accepté de jouer avec Lavinia, ce soir ?

Ou, plus exactement, pourquoi sa tante à l'esprit d'ordinaire si vif jouait-elle à ce jeu si ennuyeux ? Depuis quand était-ce devenu son passe-temps, elle qui avait toujours affirmé haut et fort que la canasta, tout comme le bridge, était des jeux de cartes pour les personnes âgées qui n'avaient plus toute leur tête ? La dernière fois qu'il était venu en vacances à Everspring, il se rappelait parfaitement la partie de poker interminable qu'elle avait disputée avec ses amis, la joyeuse assemblée se désaltérant avec des whiskys à la menthe glacée jusqu'à une heure avancée de la nuit.

— Pourquoi t'es-tu mise à la canasta, Vinnie ? demanda-t-il. Et, dans la foulée, pourquoi avoir renoncé au whisky ? Un missionnaire serait-il venu évangéliser Demery et chasser les démons du vieux Sud ?

— J'ai lu le journal intime de Maybelle, ton arrière-arrière-grand-mère. Apparemment, c'était son jeu préféré, répondit Lavinia sans relever la tête de son jeu de cartes. J'ai donc voulu comprendre ce qui la fascinait dans la canasta.

Tout s'expliquait ! En tant qu'historienne de la famille, Lavinia prenait ses recherches très au sérieux. Elle pouvait par exemple énumérer les différents mets que la famille Forrest avait servis au président Zachary Taylor qu'elle avait reçu à dîner, en 1850. Et elle avait même eu l'audace de refaire ce repas, mets pour mets, afin de goûter à son tour aux « délices » qui avaient régalé les papilles de l'éminent personnage et de les faire partager à son entourage !

Ce genre d'initiatives donnait dans la cuisine servie à Everspring un côté très *intéressant*, dans la mesure où Lavinia, qui n'était pas à proprement parler un cordon-bleu, aimait se mettre elle-même aux fourneaux — au grand dam de la cuisinière.

— Selon toi, quel intérêt y trouvait-elle ? demanda Jack d'un ton railleur.

Ce disant, il jeta un coup d'œil vers le carré de lumière, au bout de l'allée, avant de se focaliser de nouveau sur ses cartes. Quelle était la bonne couleur ? Le rouge ou le noir ? Bon sang, ce qu'il détestait ce jeu !

— Pas de sarcasme, jeune homme, reprit tante Lavinia d'un ton aigre. Ce n'est pas parce que tu n'as pas eu le cran de monter les escaliers du bungalow pour aller discuter avec *elle* que tu dois te défouler sur moi.

— Balivernes ! siffla Jack en lui lançant un regard noir par-dessus ses cartes. Je m'ennuie simplement à mourir avec ce jeu pour débiles légers, et…

— Non, ce n'est pas à cause du jeu ! décréta Lavinia, irritée, en posant brusquement ses cartes sur la table. Cela fait deux heures que tu tournes autour du bungalow comme une abeille autour d'un pot de miel. En outre, tu t'es douché avant de dîner — comme tu le vois, je n'ai pas la prétention de croire que c'était pour mes beaux yeux — et depuis tu ne cesses de loucher vers *sa* fenêtre.

— Je me suis douché, car j'ai transporté des plantes tout l'après-midi et que…

— Mensonges ! l'interrompit Lavinia en éclatant de rire. Allez, va-t'en ! Ouste, du vent. Si tu ne vas pas la rejoindre, au moins fais un tour. Tu me rends folle. De toute façon, j'ai de la lecture à faire.

Ce disant, elle rassembla les cartes et tendit la main vers Jack pour qu'il lui donne les siennes. Ce qu'il fit en esquissant un petit sourire.

— Je l'admets, dit-il, bon joueur. J'ai envie de leur rendre visite pour savoir si elles n'ont besoin de rien. Molly n'a pas eu le temps de faire des courses et, si elle a une petite faim, cette nuit…

Comment Jack pouvait-il penser qu'elle n'était pas une maîtresse de maison accomplie ? Elle rangea scrupuleusement les cartes dans sa précieuse boîte en nacre laquée avant de répondre :

— Elles ont mangé la même chose que nous. J'ai prié la cuisinière de leur apporter un plateau-repas.

Jack s'abstint de tout commentaire. Il doutait que la purée de pois cassés que Lavinia avait confectionnée avec fierté ait plu à une enfant de neuf ans. Il avait dû lui-même faire appel à toute la force de son caractère pour l'avaler sans se plaindre.

— Je vais tout de même aller voir si elles n'ont pas besoin de quelque chose.

— Tu es vraiment un garçon attentionné ! rétorqua Lavinia avec ironie.

— Ma tante, tu es la plus adorable harpie que je connaisse ! décréta Jack en déposant un baiser sur sa joue.

Lavinia lui offrit un sourire diabolique.

— Je fais de mon mieux, mon cher neveu, je fais de mon mieux.

Une demi-heure plus tard, il montait les escaliers du bungalow, une boîte de pizza à la main. La nuit était claire et froide. Des étoiles brillaient dans le ciel noir, d'un éclat aussi tranchant que des fragments de verre.

Il hésita avant de frapper. N'était-il pas en train de précipiter le cours des événements ? Molly n'avait peut-être pas encore défait ses valises et devait être épuisée. Il aurait dû au moins lui laisser le temps de s'installer. Oui, il aurait été préférable d'attendre le lendemain.

Seulement... Il avait déjà attendu si longtemps qu'il était incapable de patienter encore.

Il aurait tant aimé se débarrasser de ce ridicule sentiment de culpabilité ! Pourquoi diable fallait-il qu'il se sente coupable ? Elle n'était plus la petite amie de Remi. Remi était parti. Dix longues années s'étaient écoulées. Son jumeau n'avait plus aucun droit sur Molly. Les murs invisibles qu'il avait érigés autour d'elle étaient tombés en poussière depuis longtemps.

Non, la culpabilité n'avait plus lieu d'être.

Jack expira longuement. Sous l'effet de la fraîcheur nocturne, son souffle se suspendit devant lui, dans les airs, comme un petit fantôme argenté. Alors il leva la main et frappa deux coups à la porte. Pas trop fort au cas où Liza dormirait.

En entendant les pas légers derrière la porte, il ordonna à son cœur de ne pas s'emballer.

Il n'avait pas à se sentir coupable. Il n'était en train de trahir personne. Il avait parfaitement le droit d'être ici. De lui offrir une pizza. De lui proposer son aide, son amitié…

Bref, tout ce qu'il avait envie de lui donner.

4.

— Une pizza ! Quelle merveilleuse idée tu as eue !

A peine eut-elle ouvert la porte que Molly rejeta gracieusement la tête en arrière pour mieux inhaler l'agréable odeur qui se dégageait du carton. Sa chevelure détachée caressait ses épaules et brillait dans la lumière, comme si elle se trouvait sous une fontaine de paillettes.

En dix ans, elle était devenue une véritable beauté, pensa Jack, soufflé. Si, à dix-huit ans, Molly avait l'air d'une princesse de contes de fées, elle possédait aujourd'hui la beauté sauvage d'une reine mystérieuse. Sa silhouette s'était également affirmée et chaque courbe semblait une invitation à la caresse.

— J'ai envie de t'embrasser ! ajouta-t-elle, enthousiaste.

— Vas-y, ne te prive pas.

Alors elle éclata de rire. Un rire chaleureux qui glissa sur la peau de Jack comme un rayon de soleil. De nouveau, Molly inhala profondément l'odeur de romarin et de fromage fondu qui émanait de la pizza et conclut :

— Je suis comme un homme dans le désert qui croit voir une source d'eau fraîche.

— J'en déduis que, tout comme moi, tu n'apprécies guère la purée de pois cassés…

— Je t'en prie, n'en dis rien à tante Lavinia ! le supplia-t-elle en s'effaçant pour le laisser entrer dans le bungalow. J'en ai mangé deux cuillerées et j'ai laissé le reste à Liza, qui, aussi étonnant que cela puisse paraître, s'est sacrément régalée.

— A son âge, je n'aurais même pas voulu goûter la mixture de tante Lavinia, fit Jack en grimaçant à l'idée de l'horrible purée. J'ai donné discrètement ma part à Stewball, sous la table. Lui et moi avons passé un pacte. Il termine mon assiette et je ne le dénonce pas quand il passe la nuit sur le canapé en cuir.

— Pauvre Stewball ! s'exclama Molly, faussement compatissante, tout en ouvrant la boîte en carton. Miam, une pizza aux champignons ! Tu t'es souvenu que j'adorais les champignons ?

Elle lui tendit une part de pizza avant de se servir.

Bien sûr qu'il se souvenait de son goût pour les champignons ! Elle aurait été surprise d'apprendre tous les souvenirs qu'il avait emmagasinés. Il se souvenait par exemple de sa signature d'enfant : elle dessinait toujours un sourire dans le « o » de Molly. Il aurait également pu réciter le très beau sonnet qu'elle avait composé à l'attention de Remi, quand il était en terminale. Il revoyait encore son mascara qui coulait sur ses joues lorsqu'un film triste — ou Remi — la faisait pleurer. Et il se rappelait mille autres détails encore.

Une bouffée d'adrénaline et de plaisir le parcourut à l'idée qu'il avait encore des millions de choses à découvrir chez elle. Notamment en ce qui concernait sa féminité si affirmée. Ou pourquoi encore de très légers cernes, probablement révélateurs d'une souffrance intérieure, ombraient ses yeux... Il préférait d'ailleurs se souvenir de la lueur de satisfaction qui consumait ce même regard lorsqu'il se posait sur sa fille Liza.

— La croûte est bien épaisse, comme je les aime, marmonna Molly, la bouche remplie de pizza. Décidément, je t'adore !

— J'imagine que tu dis la même chose à tous les livreurs de pizza, dit-il en affectant une mine dépitée.

Il prit une deuxième part, et alla s'asseoir sur le canapé. Molly l'y rejoignit, ou, plus exactement, se laissa guider par l'attraction qu'exerçait sur elle la boîte de pizza qu'il tenait encore à la main ! Elle se laissa tomber à côté de lui, ramenant ses jambes nues sous elle. Elle termina rapidement sa première part et en prit une deuxième qu'elle dévora tout aussi goulûment.

Jack la contemplait à la dérobée, toujours aussi émerveillé. En guise de chemise de nuit, Molly portait un large T-shirt pas sophistiqué pour un sou, et pourtant elle avait l'air incroyablement sexy. Sans doute était-ce ce côté naturel qui la rendait si attrayante. Et la façon dont elle mangeait sa pizza, sans la moindre inhibition, se régalant ouvertement.

— Qu'y a-t-il ? finit-elle par demander devant son regard persistant. Ah, je comprends ! Je ne suis pas très présentable et j'aurais dû me laver les mains, comme je l'exige de Liza, avant chaque repas.

Elle se mit à rire.

— Bon, j'espère que tu excuseras mon manque de tenue, mais, après tout, manger une pizza avec les doigts, ce n'est pas comme un repas classique ! Et puis j'adore ça !

Elle loucha alors vers ses mains, qu'il examina à son tour de manière plus attentive. Elles étaient maculées de traces de surligneur. Il releva les yeux pour constater, à la faveur de la lumière du lampadaire accolé au sofa, qu'il y avait *réellement* des paillettes dans ses cheveux. Pas que dans ses cheveux, d'ailleurs ! Ses avant-bras et le dos de ses mains en étaient également recouverts.

— Qu'est-ce que tu as fait ? dit-il en lui saisissant le poignet. Ce n'est pourtant pas Mardi gras, aujourd'hui.

— Pour ton information, sache que je viens d'une autre galaxie, annonça-t-elle en relevant le menton. Telle que tu me vois, j'arrive tout droit de la planète Cuspiane, dont je suis par ailleurs la reine.

— Combien de whiskys à la menthe te faut-il pour te projeter sur cette planète ?

Molly esquissa un sourire tout en enfournant la dernière bouchée de sa deuxième part de pizza. Elle prit le temps de s'essuyer consciencieusement les mains avec une serviette en papier avant de répondre :

— Aucun ! J'ai juste aidé Liza à décorer sa chambre. Cuspiane est sa planète imaginaire. Hélas, ce n'est pas une planète où règne une propreté irréprochable !

Elle secoua alors ses cheveux pour en faire tomber quelques paillettes.

— Si tu en es la reine, pourquoi n'essaies-tu pas de remédier à la situation ? s'enquit-il d'un ton pince-sans-rire.

Sur une impulsion, il tendit la main pour retirer un éclat doré, collé sur la joue de Molly. Sa peau était douce et chaude, et il sentit sa fossette se creuser sous ses doigts tandis qu'elle lui souriait. Malgré lui, sa main s'attarda sur sa joue. Elle ne parut pas s'en offusquer. Ce n'était pas la première fois que Jack se permettait ce geste. Adolescent, il essuyait des traces de mascara ou de sauce tomate sur les joues de l'adolescente qu'elle était alors.

— C'est un titre purement honorifique, lui expliqua-t-elle. En réalité, sur la planète Cuspiane, c'est la princesse qui détient les pleins pouvoirs.

— Liza ?

— Exact ! Liza qui dort à présent sous les lunes dorées de Cuspiane que nous avons transportées d'Atlanta jusqu'ici, dans une valise spéciale. La princesse adore les paillettes !

Jack déglutit avec difficulté. Il avait une subite envie, un besoin presque physique, d'admirer les lunes dorées, et surtout de contempler le visage innocent de la fillette endormie sous leurs ombres bienveillantes... Il voulait tout savoir de Molly et de sa petite fille, qui occupait visiblement chaque millimètre du cœur de sa mère.

Mais il devait attendre. Ne rien précipiter.

Dieu sait si pourtant la patience n'était pas sa qualité première ! D'où l'avantage d'être considéré comme le « mauvais » frère. Personne ne s'étonnait de son côté emporté, de ses manières brusques. Il était probable que de nombreuses femmes auraient été surprises de le voir lutter contre la tentation, ce soir.

Au fond, c'est parce qu'elles ne le connaissaient pas aussi bien qu'elles le croyaient. Elles ignoraient que résister à Molly n'était pas un nouvel exercice pour lui, mais davantage une façon de vivre. Il avait des années de patience derrière lui... Tellement d'années.

— A propos, reprit Molly, pourrais-tu me donner un coup de main pour la touche finale du décor ? J'ai besoin d'un homme grand et fort pour accrocher la troisième lune. Bon, le seul inconvénient, c'est que tu risques de rentrer chez toi scintillant de paillettes.

— Nous, les hommes grands et forts, n'avons pas peur de quelques petites paillettes, répondit-il en accentuant le côté grave de sa voix. Surtout quand la reine en personne nous prie d'accrocher la lune. Mais est-ce qu'on ne risque pas de réveiller Liza ?

— Non. Comme tous les enfants, elle a un sommeil de plomb. Je lui ai promis que tout serait terminé demain matin, à son réveil.

— Très bien, madame la Reine, je suis votre homme, dit Jack en se levant. Conduisez-moi chez votre leader !

Lorsque Molly ouvrit la porte de la chambre où dormait Liza, Jack écarquilla les yeux devant la magie qu'elle avait créée dans la minuscule pièce. Les murs blancs avaient disparu sous les dessins représentant des châteaux, des dragons, des étoiles filantes, des tours vertes et des collines bleues ornées de roses d'un rouge fantastique. La plupart de ces œuvres avaient été conçues par Molly. Il reconnaissait sa patte. D'autres dessins, aux motifs plus incertains, avaient été effectués par une artiste moins expérimentée, mais qui adorait les paillettes.

Deux immenses globes dorés pendaient dans deux angles de la chambre, se balançant doucement sous la brise qui entrait par la fenêtre entrouverte. La lampe de chevet se reflétait sur leur dorure de sorte que le chatoiement prêtait une lueur ambrée à la chambre. Des écharpes multicolores, parsemées de paillettes d'or, avaient été nouées au bois du lit puis savamment remontées le long du mur auquel elles avaient été clouées afin de former un baldaquin. Baldaquin à l'abri duquel dormait tranquillement la petite princesse.

Jack contempla un instant sa chevelure couleur paille éparpillée sur l'édredon rose vif, le poney vert qui se cabrait fièrement au dos de sa chemise de nuit. Brusquement, sa gorge se serra. Détournant les yeux, il demanda dans un murmure :

— Où dois-je accrocher la lune ?

— Au milieu des deux autres, répondit Molly à haute voix. C'est la plus grosse des trois.

Là-dessus, elle se pencha pour ramasser un globe doré et le lui tendit.

— Et aussi, la plus lourde, précisa-t-elle. C'est la lune dominante de Cuspiane. Il faut enfoncer un crochet dans la poutre, mais le bois est trop dur, je n'y arrive pas. J'ai manqué perdre l'équilibre, juchée sur ma chaise, et là je crois que j'aurais réveillé ma petite princesse.

Un sourire barra le visage de Jack. Le globe en mousse dure était aussi gros qu'un ballon de football. On voyait encore les traces du pinceau qui l'avait recouvert de peinture dorée, et les paillettes n'étaient pas disposées de façon régulière. Des bouts de ruban en velours doré étaient collés çà et là, sur sa surface. L'ensemble était assez maladroit, mais très émouvant, car on imaginait aisément tout le cœur que l'artiste en herbe avait mis dans la réalisation d'une lune magnifique. Décidément, Liza était une fillette étonnante.

Mais pourquoi s'en étonner ? Elle était la digne fille de sa mère. Il se souvenait d'elle, au même âge, penchée sur un lilas dont les fleurs avaient gelé et déterminée à les ramener à la vie coûte que coûte.

— Bon, je vais voir ce que je peux faire, déclara-t-il en s'emparant de la lune.

Il tenta à son tour d'enfoncer le crochet dans la poutre. Molly avait raison. Le bois était aussi résistant que du métal. Pourtant, il ne pouvait pas la décevoir. Si elle le croyait capable d'accrocher la lune, il devait y arriver... ou mourir ! Il tenta de nouveau d'enfoncer le maudit crochet, poussa de toutes ses forces, tout en s'efforçant de ne pas laisser transparaître l'effort sur son visage. Le chêne finit par céder et le crochet y resta enfoncé.

Après quoi, il lui suffit d'enrouler le fil de pêche qui retenait le globe autour du crochet et de faire un nœud.

L'éclat doré de la pièce se trouva immédiatement renforcé par la troisième lune. Et un sourire heureux éclaira le visage de Molly.

— Merci, le clair de lune est parfait, dit-elle.

Elle lui tendit la main pour l'aider à descendre. Il ne repoussa pas son aide, même si elle était superflue. D'une manière générale, il avait toujours été incapable de refuser ce qu'elle lui offrait.

Curieusement, lorsqu'il se retrouva sur la terre ferme, il n'eut pas la sensation de recouvrer son équilibre. Molly se tenait tout près de lui. Trop près de lui. La chaleur de sa main posée sur son avant-bras était des plus troublantes. Et puis ses yeux, d'un bleu si intense, le transperçaient. Tout son être en vacilla. Il avait la sensation de fouler des terres meubles et mouvantes.

Leurs regards demeurèrent enchaînés l'un à l'autre pendant quelques secondes, sans qu'aucun d'eux ne prononce une parole. Il vit Molly ouvrir la bouche, comme pour parler. Aucun son ne sortit. En revanche, l'étreinte de ses doigts se resserra sur son bras…

— Molly, murmura-t-il, en caressant doucement sa joue.

Subitement, elle parut revenir à la réalité et recula d'un bond.

— Je suis désolée, Jack, dit-elle en passant ses mains dans ses cheveux comme si elle se réveillait d'un sommeil confus. Pardonne-moi. Je ne voulais pas… Je pensais que… Enfin, après tout ce temps, se retrouver ici, c'est bouleversant. Tu comprends, n'est-ce pas ?

Elle leva ses yeux magnifiques pour le regarder avant d'ajouter :

— Pendant quelques secondes, j'ai cru être avec Remi…

*
* *

— Je suis complètement folle de m'être laissé avoir, marmonnait Molly, tout en courant derrière Stewball. Si tu ne m'avais pas apitoyée avec tes grands yeux mouillés, tu serais encore tranquillement dans ton panier et, moi, je ne serais pas obligée de piquer un sprint dans le parc...

Elle s'arrêta un instant pour reprendre son souffle.

— Stewball, au pied !

Peine perdue. L'épagneul de la famille Forrest, qui avait atteint l'âge respectable de treize ans, ne l'écoutait pas. Il fallait dire qu'il était à moitié sourd. Pourtant, il ignorait qu'il vieillissait, que la cécité et la sénilité le guettaient. Ce qu'il savait, c'était que, pour la première fois depuis de longues semaines, il goûtait de nouveau à la liberté. Et le parc de Demery, à midi, lui donnait largement de quoi exercer son flair.

Elle avait eu pitié de lui lorsqu'elle l'avait découvert à la maison. Il semblait si désemparé ! Une véritable âme en peine. Depuis que Jack était reparti à New York, selon Lavinia, il y avait été appelé en urgence pour un projet architectural de première importance, le chien passait son temps à l'attendre, le museau posé sur ses pattes, l'air pitoyable.

Molly avait cru bon de lui accorder un petit divertissement en l'emmenant avec elle dans le parc, où elle avait rendez-vous avec Lavinia, à midi. Et, maintenant, elle devait le surveiller car, aussitôt sorti de la voiture, il s'était mis à bondir et gambader dans tous les sens, sans obéir quand elle le sifflait pour qu'il revienne. Elle espérait que Lavinia serait en mesure de le faire obtempérer.

— Besoin d'aide ?

Stewball comprit que c'était Jack avant elle. Poussant un jappement de joie, il s'élança vers son maître qui approchait, en compagnie de Lavinia.

Molly ignorait qu'il était revenu de New York. Elle redoutait leurs retrouvailles. Ils ne s'étaient pas revus depuis son comportement embarrassant, dans la chambre de Liza, quand elle avait été à deux doigts de l'embrasser. A sa décharge, Jack n'avait rien fait pour arranger la situation. Pourquoi le camarade de toujours qu'il était l'avait-il regardée avec cet air de convoitise ? Un comportement d'autant plus curieux qu'il préférait les femmes exotiques et sexy. Il n'aurait jamais perdu du temps avec une fille aussi typiquement américaine qu'elle.

Quel moment pénible ! Elle avait maladroitement essayé de se justifier en évoquant sa ressemblance avec Remi. Elle avait surtout eu la sensation d'être surprise au beau milieu d'un rêve ! C'était... c'était complètement fou... Il n'y avait pas de terme pour désigner ce qu'elle avait éprouvé.

Elle avait nettement perçu aussi le malaise de Jack. Etait-ce pour cette raison qu'il s'était empressé de quitter Everspring : le lendemain ? Avant même le lever du soleil — ainsi que le lui avait précisé Lavinia — il était déjà dans l'avion qui l'emmenait à New York.

Et voilà qu'à cause du maudit chien il la prenait au dépourvu ! Elle aurait aimé montrer un peu plus de dignité pour leurs retrouvailles. Elle savait qu'elle devait avoir l'air échevelée, et les joues toutes rouges.

— Stewball ! Du calme, ordonna Lavinia.

Le chien ne l'écouta pas et bondit sur Jack pour lui manifester sa joie, coups de langue dans le cou à l'appui. Jack le maîtrisa sans difficulté et accrocha à son collier la laisse que lui tendait Molly. L'animal n'eut d'autre choix que de s'asseoir sur son arrière-train, aux pieds de Jack, langue pendante.

— Bonjour, Molly, dit Jack. Tout va bien ?

— Heureuse de voir arriver des renforts, répondit-elle. Je ne me rappelais pas que Stewball était si turbulent.

— Ah oui ? dit Jack en éclatant de rire. Ne te souviens-tu pas du pique-nique du 4 juillet, la première année que nous l'avions ? Il avait englouti la tarte aux myrtilles avant qu'on n'ait eu le temps de s'en apercevoir.

Bien sûr qu'elle se rappelait le fameux pique-nique et la tête déconfite de Jack. Aussi ajouta-t-elle :

— Et, sur le chemin du retour, il avait vomi dans la voiture. Tu étais si furieux que j'ai cru que tu allais l'étrangler !

Pourtant, passé le premier moment de colère, Jack avait pris le chiot malade dans ses bras, et l'avait doucement caressé entre les oreilles, tout en lui murmurant des mots rassurants.

En réalité, cela lui revenait en tête maintenant, c'était Remi, au volant du cabriolet, qui avait perdu son sang-froid. Son visage était devenu rouge de colère à la vue de la banquette maculée.

Un frisson parcourut Molly lorsqu'elle se souvint du ton de Remi informant Jack qu'il ne fallait pas qu'il compte sur lui pour nettoyer.

Curieux comme elle avait oublié la réaction de Remi.

— Et le jour où Stewball avait volé le jean de Remi qui se baignait tranquillement dans la rivière ? renchérit Jack. Le pauvre était rentré à la maison en sous-vêtements, furieux et honteux à la fois.

Molly lança un regard confus à Jack.

— Tiens, je croyais que c'était à toi que Stewball avait joué ce tour pendable. C'est ainsi que Remi m'avait présenté cette mésaventure.

Lavinia et Jack échangèrent un bref coup d'œil.

— Il est possible qu'elle nous soit arrivée à tous les deux, rétorqua Jack. Les sottises de Stewball étaient si nombreuses qu'il était difficile d'en tenir une liste exhaustive.

Au fond, quelle importance que sa mémoire lui fasse défaut ? songea Molly. C'était il y a dix ans. Pourtant, l'incident la perturbait. Les souvenirs, c'était tout ce qui lui restait de Remi. Et l'idée qu'ils ne fussent plus fiables lui déplaisait.

— Bien, commença Lavinia, je suppose que vous vous demandez pourquoi j'ai organisé ce rendez-vous…

Molly acquiesça, curieuse de savoir pourquoi Jack avait été également convoqué.

— … J'ai un nouveau projet. Un projet formidable. Et pour le réaliser j'ai besoin de votre concours à tous les deux.

Ce disant, elle commença à se diriger vers la partie est du parc. Soudain, elle s'arrêta et se retourna en sourcillant.

— Eh bien, vous me suivez ou dois-je vous mettre une laisse, à vous aussi ? dit-elle, impatiente.

Ils lui emboîtèrent le pas, et Molly pria secrètement pour que la promenade ne soit pas trop longue. Elle était chaussée de simples espadrilles blanches qui n'étaient pas particulièrement adaptées au marathon que semblait vouloir leur faire subir Lavinia.

Tout en marchant d'un pas vif, la tante de Jack ne cessait de parler, sans prendre la peine de se tourner vers ses interlocuteurs de sorte que la plupart de ses paroles étaient emportées par le vent. A plusieurs reprises, Molly lança un regard interrogateur à Jack qui se contenta de sourire et de hausser les épaules. De toute évidence, il ne comprenait pas davantage la logorrhée de Lavinia, laquelle cessa de parler aussi brusquement qu'elle avait commencé.

Alors elle tourna enfin le visage vers Molly, un sourire radieux aux lèvres, et annonça en manière de conclusion :

— Nous y sommes. Alors, qu'en dis-tu ? Penses-tu pouvoir boucler cela pour avril ?

Molly regarda alentour, perplexe. De quoi parlait exactement Lavinia ? Ils avaient atteint la limite est du parc, là où les sentiers de pierre et les bancs en fer disparaissaient pour laisser place à un large espace en friche.

— Boucler quoi ? demanda-t-elle.

— Les travaux d'aménagement, voyons ! répondit Lavinia d'un ton agacé. N'avez-vous donc rien écouté ? J'envisage de donner ce bout de terrain à la commune de sorte qu'ils puissent agrandir le parc. Et, ici, nous ferons construire un pavillon, le pavillon Remi Forrest. Je veux que ce soit toi qui conçoives l'espace alentour.

Quelle bonne idée d'honorer la mémoire de Remi avec un monument que toute la ville pourrait partager ! Et comme elle était heureuse que cette tâche lui soit confiée.

— C'est une excellente idée, s'empressa-t-elle de dire.

— Parfait ! commenta Lavinia.

Elle se tourna vers son neveu.

— Jack, j'ai également besoin de toi pour réaliser le projet.

— En quoi ? demanda-t-il d'une voix impassible.

— Si Molly parvient à terminer dans les temps, nous inaugurerons officiellement le nouveau parc en avril, pour le bicentenaire d'Everspring. J'ai bien conscience d'exiger beaucoup d'énergie de sa part, puisqu'elle devra mener de front deux projets. Néanmoins, en embauchant toute la main-d'œuvre nécessaire, je crois que le pari est tenable.

Jack fixait sa tante d'un regard insondable.

— Lavinia, qu'attends-tu exactement de moi ?

— Personne ne connaissait Remi aussi bien que toi, déclara-t-elle. Personne ne l'aimait davantage. Je veux que tu te charges du discours officiel pour l'ouverture du pavillon.

Molly esquissa un sourire et effleura le bras de Jack. Evidemment, l'exercice serait difficile pour lui, à cause de l'émotion… Il n'empêche que la cérémonie serait très belle.

— Ne compte pas sur moi, Lavinia, répondit Jack contre toute attente.

Molly se félicita de ne pas avoir été obligée d'effectuer le trajet de retour en compagnie de Jack et Lavinia. L'atmosphère devait être glaciale dans leur voiture. En dépit de l'insistance de sa tante, Jack s'était entêté, refusant farouchement de prononcer le moindre discours, et s'obstinant avec la même vigueur à ne pas justifier son refus. Lavinia avait finalement jeté l'éponge, à la fois furieuse et frustrée.

Quand Molly descendit de la voiture de location, tenant fermement Stewball en laisse pour ne pas qu'il croie que la promenade continuait, elle repéra la présence d'un inconnu. Il se tenait au bout de l'allée en pierre, qu'il fixait étrangement, comme s'il s'agissait d'une passerelle menant à un autre monde. Avec ses deux mains enfoncées dans son jean, il n'avait pas l'allure d'un représentant. Qui cela pouvait-il bien être ?

En le regardant plus attentivement, Molly se rendit compte que son visage lui était familier. Le connaissait-elle ? Allons, à Everspring, tout était toujours possible, elle n'était pas dans son petit monde étroit et bien balisé d'Atlanta. Ici, personne n'était réellement un étranger, tout le monde connaissait ou avait connu tout le monde.

En entendant les gémissements de Stewball qui mourait d'envie de se précipiter vers lui, l'homme releva la tête, et elle le reconnut. C'était Ross Riser, l'ancien entraîneur de Remi.

— Bonjour, Molly, dit-il en s'approchant.

Il se pencha pour caresser Stewball et ajouta :

— Je t'aurais reconnue même sans savoir que tu étais de retour. Tu n'as pas changé depuis le lycée.

Elle se contenta de sourire, lui sachant gré de ce mensonge flatteur. Elle n'était pas surprise qu'il se souvienne d'elle. Elle n'avait jamais été une grande sportive, mais elle était l'adolescente qui distrayait Remi, le meilleur élément de son équipe, et, en ce sens, il ne pouvait pas l'avoir oubliée.

A l'époque, Ross se préoccupait des moindres faits et gestes de Remi : mangeait-il assez de légumes ? Dormait-il suffisamment ? Pourquoi fléchissait-il en histoire ? S'était-il encore disputé avec sa petite amie ?

Molly savait qu'une querelle d'amoureux, comme elle en avait avec Remi, entraînait des répercussions sur le jeu de Remi, et Ross Riser, un jeune entraîneur plein d'énergie et de conviction, ne le supportait pas.

— Ross, quel plaisir de vous revoir ! L'équipe que vous entraînez est-elle toujours en haut du tableau, comme autrefois ?

— Les temps ont changé, répondit-il d'un air presque gêné. Ce n'est plus comme à l'époque de Remi.

Forcément. Remi était un être à part, exceptionnel. Elle renforça son sourire pour refouler les larmes qu'elle sentait monter en elle : elle n'allait tout de même pas s'effondrer chaque fois qu'un nouveau souvenir se profilait !

— Oui, Remi était merveilleux, n'est-ce pas ? dit-elle d'un ton qu'elle espéra détaché.

Il se tenait à quelques mètres d'elle, et semblait fuir son regard. Elle le vit alors serrer les mâchoires. Luttait-il lui aussi contre les larmes ?

— Remi était..., commença-t-il. Oh, c'était un Forrest ! Que peut-on dire de plus ?

Pourquoi avait-il l'air crispé ? Etait-ce le fait d'évoquer Remi qui le mettait dans un tel état ? Peut-être s'en voulait-il tout simplement d'être ému et de ne pas savoir le cacher. Sa réaction ne cadrait pas avec sa réputation de dur à cuire. Un entraîneur n'était-il pas censé contrôler ses joueurs, les choyer ou les rudoyer en fonction des circonstances ? En aucun cas, il ne s'apitoyait sur leur sort.

Molly balaya le paysage du regard, à la recherche d'inspiration pour alimenter la conversation. C'était un magnifique après-midi, frais et ensoleillé, agité par une légère brise annonciatrice du printemps. Les bourgeons allaient bientôt apparaître. Les myrtes auraient dû être élagués depuis longtemps, pensa-t-elle lorsque son regard tomba sur les buissons désordonnés.

Sapristi, que dire à Ross Riser ?

Si seulement elle avait été plus attentive autrefois, lorsque Remi racontait ses exploits sportifs, peut-être aurait-elle trouvé quoi dire à son entraîneur, aujourd'hui.

— Quand on parle du loup..., commença Ross.

— Pardon ?

Des éclat de voix parvinrent alors jusqu'à elle. Jack et Lavinia étaient eux aussi de retour.

— Bonjour, Ross, dit Jack d'un ton distant. Que se passe-t-il ?

L'hostilité voilée qu'elle avait lue sur les traits de Ross Riser à l'arrivée de Jack n'était donc pas un effet de son imagination. Le même antagonisme latent empreignait les propos de Jack.

Elle considéra les deux hommes l'un après l'autre. Tous les deux étaient grands, athlétiques, extrêmement séduisants... Et aussi tendus l'un que l'autre. Ross Riser avait presque dix ans de plus que Jack. A l'époque du lycée, cela représentait un écart énorme qui asseyait l'autorité de l'entraîneur. Aujourd'hui, le rapport de force s'était équilibré : il s'agissait de deux adultes qui ne s'appréciaient guère. Pourquoi ?

— Je te cherchais, répondit Ross, laconique.

Son ton était presque accusateur, ce qui piqua la curiosité de Molly. Pourquoi Ross adoptait-il cette attitude envers Jack ?

— Es-tu allé me chercher jusqu'à New York ? railla durement Jack. Parce que c'est là que j'étais durant ces trois derniers jours.

— Je dois te parler, enchaîna Ross sans relever le sarcasme. Si tu veux bien m'accorder une minute...

— Jack, rejoins-nous à la maison dès que tu auras fini, intervint Lavinia.

Molly eut toute la peine du monde à retenir Stewball pendant que les deux hommes s'éloignaient. L'animal poussa des gémissements à fendre l'âme, puis finit par se calmer.

— Que se passe-t-il entre eux ? demanda Molly, une fois que les hommes furent hors de portée de voix.

— Je ne sais pas exactement, répondit Lavinia, pensive. Cela fait des années qu'ils ne s'entendent pas, ces deux-là.

En fait, Remi et Ross étaient très proches, et je me suis toujours demandé si Ross ne tenait pas Jack pour responsable de la mort de Remi.

— Responsable ? fit Molly, incrédule. Mais pourquoi ?

Passant un bras sous celui de la jeune femme, Lavinia expliqua :

— C'est ce que pensent beaucoup de gens, à Demery. Une rumeur a même couru selon laquelle ce n'était pas Remi, mais Jack, qui était au volant, lors de l'accident.

A ces mots, un terrible sentiment d'injustice s'empara de Molly. Quels commérages cruels ! Jack était un rebelle, impertinent et têtu ; en revanche, il n'avait jamais été un menteur. Et, alors qu'un garçon moins généreux aurait envié le pouvoir de séduction de son frère, Jack avait toujours été très loyal dans ses rapports avec son jumeau, voire protecteur.

— La police n'a pas pu établir de manière formelle qui conduisait, poursuivit Lavinia d'une voix lasse, comme si elle l'avait déjà dit des centaines de fois. Nous n'avions que la parole de Jack.

— Cela devrait suffire, assura Molly d'un ton indigné.

Elle adorait Remi, mais elle savait aussi que, le halo de vertu qui l'entourait, il le devait pour bonne part à son dévoué jumeau. Elle se rappelait, par exemple, les samedis où Remi ne pouvait pas se lever à cause d'une gueule de bois. C'était Jack qui le remplaçait au pied levé pour le match de football qu'il était censé disputer, et tout le monde n'y voyait que du feu. Même l'entraîneur.

— Ah, tu sais ce que c'est, la rumeur, fit Lavinia en boutonnant sa veste.

Le vent s'était levé et il faisait presque froid. Elle avait lâché la laisse de Stewball qui trottinait tranquillement devant elles, dans l'allée.

— Bref, reprit Lavinia, je présume que Ross voulait discuter avec Jack au sujet d'Annie Cheatwood. D'après ce que j'ai compris, il sort avec elle. Annie a toujours eu le don pour faire en sorte que les hommes qui gravitent dans son entourage se détestent.

Naturellement, si Ross sortait avec Annie, il devait se poser quantité de questions sur les origines de Tommy. Et, s'il était réellement épris d'elle, il n'appréciait vraisemblablement pas celui qui l'avait abandonnée, un bébé sur les bras.

Instinctivement, elle tourna la tête. Les deux hommes se tenaient à présent près de la camionnette de Ross. Même à cette distance, celui-ci paraissait furieux et Jack, agacé.

— Tu veux dire que Ross et Annie sont... Enfin, je veux dire, Jack et Annie sont...

— Bah, qu'est-ce que cela peut faire ? C'est juste une stupide question de testostérone. En outre, c'est une perte de temps que d'essayer de comprendre ce que pensent les hommes.

— Je suis entièrement d'accord ! dit-elle avec conviction.

Pourtant, en pénétrant dans la demeure des Forrest, à la suite de Lavinia, elle regretta amèrement de ne pas être en mesure de les comprendre, aujourd'hui.

5.

Ross n'ouvrit la bouche que lorsque Jack et lui arrivèrent à la hauteur des grilles d'Everspring. Il souhaitait s'éloigner le plus possible des femmes, car la discussion qui s'annonçait risquait de tourner au vinaigre et il n'avait aucune envie d'en faire bénéficier un auditoire.

Jack avait garé sa rutilante Ford Thunderbird juste à côté de son pick-up cabossé. Les deux véhicules illustraient de manière criante le fossé social qui séparait les propriétaires.

Ross s'admonesta. Jack pouvait bien rouler dans une Rolls-Royce en platine dotée d'enjoliveurs incrustés de diamants si tel était son bon plaisir, il s'en fichait. En l'occurrence, il ne s'agissait pas d'argent, mais de qualités, à savoir l'honnêteté et le fair-play.

Et d'Annie. Oui, c'était essentiellement d'elle qu'il s'agissait.

— Qu'est-ce qui te tracasse, Ross ?

Jack avait déjà sorti ses clés de voiture, désireux de montrer à son interlocuteur qu'il n'avait pas l'intention de s'attarder. Ce qui tombait bien, puisque Ross avait décidé d'aller droit au but.

— Je veux que nous parlions d'Annie, répondit-il.

Jack ne parut pas surpris. De quoi d'autre aurait-il pu s'agir entre eux ? L'architecte new-yorkais et l'entraîneur de Demery n'avaient pas grand-chose en commun. A part Remi. Et Jack savait que Ross aurait préféré se couper la langue plutôt que d'aborder le sujet avec lui.

— Je t'écoute, concéda Jack en s'appuyant contre le pick-up.

Prenant son inspiration, Ross redressa les épaules et se lança à l'eau :

— C'est très simple. Je veux savoir quelles sont tes intentions envers Annie.

Jack plissa les yeux.

— Certaines personnes prétendent que tu es trop âgé pour Annie.

Marquant une pause, il ajouta dans un éclat de rire :

— A moins que tu ne m'interroges sur mes intentions... à titre de père ?

Ross se sentit rougir. Adolescent déjà, Jack possédait ce pouvoir sur lui. Son regard vert et blasé perçait toujours à jour ses points faibles et les lui renvoyait en plein visage. Comment avait-il pu deviner qu'il ne se sentait plus de prime jeunesse, et discrédité par son âge en ce qui concernant Annie ?

Allons, il ne fallait pas être grand clerc, de nombreux signes extérieurs trahissaient sa quarantaine. Jack avait probablement remarqué qu'il boitait légèrement en raison d'une blessure au genou, lors d'un entraînement. Sans parler du bandage qui enserrait son coude pour cause d'arthrite... D'ailleurs, même sans ces indices, Jack pouvait aisément déduire qu'un homme de quarante ans faisait figure d'homme âgé à côté d'une belle fille de trente ans aussi sémillante qu'Annie.

— Nous n'avons que dix ans d'écart, dit-il pourtant d'une voix rauque de colère. Peux-tu me citer les noms de ceux qui prétendent que je suis trop âgé pour elle ?

Jack haussa négligemment les épaules avant de répondre :

— Je ne sais pas exactement. Les gens jasent, tu sais ce que c'est.

— Oh oui ! Ne serais-tu pas curieux d'apprendre ce qu'ils disent sur ton compte ? renchérit Ross en faisant un pas en avant vers Jack.

Jack esquissa un sourire tendu.

— Absolument pas ! Ecoute, Ross, je n'ai pas de temps à perdre, surtout s'il s'agit de me faire insulter. Et, franchement, je ne vois pas de quel droit tu m'interroges au sujet d'Annie. Alors, si tu as un autre sujet à aborder, crache le morceau, sinon, salut !

L'espace d'une seconde, Ross eut la sensation qu'il allait devoir casser la figure à l'arrogant Forrest, lui aplatir le nez si violemment que le malheureux ne pourrait plus respirer que par la bouche pendant un mois. Dans un effort surhumain, il parvint cependant à maîtriser ses poings qui le démangeaient...

Après la mort prématurée de son père, sa mère les avait élevés seule, lui et ses deux frères, leur répétant constamment que la bagarre devait toujours intervenir en ultime recours. Seules les espèces dotées d'un petit pois en guise de cerveau en faisaient usage, leur martelait-elle. En tant que professeur de sciences naturelles, elle devait tout de même savoir de quoi elle parlait !

Inspirant profondément pour se calmer, Ross fit appel à toute sa volonté — si tant est qu'elle n'avait pas disparu sous le brouillard de testostérone qui la voilait. Il n'avait pas abordé le sujet de la bonne façon. Il aurait dû faire fi des sentiments qu'il éprouvait envers Jack Forrest et se concentrer sur le fait que ce dernier représentait un obstacle sur la route qui le conduisait à Annie. Il ne devait à aucun prix créer d'antagonisme entre eux. Il avait eu tort d'aller tout de suite au cœur du sujet.

Prenant une autre bouffée d'oxygène, il tenta de recouvrer ses esprits. Il avait espéré avoir une conversation virile, saine et simple avec Jack. Et il avait pitoyablement échoué. Il suffisait que cet homme, de dix ans son cadet, lui lance une pique pour qu'il s'échauffe.

Il devait être honnête envers lui-même. Ce n'était pas réellement de la colère qui l'animait, mais davantage de la jalousie. Il était jaloux de la grosse cylindrée de Jack. Jaloux de l'air d'insouciance qui flottait en permanence sur son visage, l'insouciance de ceux que la naissance a choyés. Jaloux de ses yeux verts, dignes d'un acteur hollywoodien, aussi brillants que les pierres précieuses du meilleur joaillier de Caroline du Sud. Jaloux de son corps d'athlète, qui conservait l'éclat de ses vingt ans, alors que les muscles de Ross s'affaissaient chaque jour un peu plus, en dépit de ses entraînements quotidiens.

Oui, il était définitivement jaloux de l'héritier d'Everspring et, ce qui était encore plus humiliant, il avait peur. Peur de perdre Annie à cause de... à cause de cette espèce de sale fils de riche de Jack Forrest.

Il était néanmoins rassurant de constater qu'Annie n'était pas aussi impressionnée par l'argent et le statut social que de nombreuses autres femmes de sa connaissance. Toutefois, elle n'en était pas moins humaine. Qui sait si elle ne finirait pas par céder à la tentation d'une vie facile avec l'héritier Forrest ? Connaissant le passé de Jack, il redoutait que ce dernier ne se lasse rapidement d'Annie et que cette dernière en souffre — ainsi que Tommy.

Au nom du danger qui guettait sa bien-aimée, il devait ravaler sa colère et étouffer ses ressentiments afin d'aborder la situation avec objectivité.

Tout d'abord, pourquoi lui reprocher d'apprécier Annie et de la désirer ? Après tout, cette dernière était fort désirable et Jack n'était pas de bois… Sauf que, à la différence de Ross, il n'aimait pas *réellement* la jeune femme.

— Annie prétend qu'elle a besoin de prendre un peu de distance avec moi pour réfléchir à notre relation, reprit-il. Elle réclame du temps. Or, cette initiative ne lui ressemble pas.

— Insinuerait-il que c'est moi qui l'y ai encouragée ? fit Jack d'un air dédaigneux.

— Ne nie pas, Forrest ! Je t'ai déjà vu à l'œuvre. Ce que je n'arrive pas à saisir, ce sont les motifs qui te poussent à agir ainsi. Est-ce parce que tu la désires ou parce que tu me détestes ?

Il s'ensuivit un long silence. L'air vibrait de tension. Ross n'osait plus regarder Jack en face, par crainte de perdre son sang-froid. Malgré lui, il avait prononcé ses ultimes paroles sur le ton de la plainte et il ne supportait pas l'idée d'être en train de supplier Forrest. Encore que, pour Annie, il était prêt à tout.

— Tu te trompes, Ross…

Lorsque Jack reprit la parole, sa voix était basse et contrôlée. Ross crut même y entendre une vague note de sympathie.

— … je ne te déteste pas.

Relevant la tête, Ross s'obligea à croiser le regard tranquille de son adversaire.

— Appelle cela comme tu veux ! Soit, tu ne me détestes pas, mais tu me méprises. Et tu ne m'estimes pas assez convenable pour elle et pour Tommy.

— Cela n'a rien avoir avec le fait d'être « assez convenable », répondit Jack. Je pense tout simplement que tu n'es pas le père qu'il faut à Tommy.

— Si Annie veut de moi, je l'épouserai et je serai un père à plein temps pour son petit garçon, rétorqua-t-il d'une voix dure. Il suffit que tu dégages la piste, Forrest. Je pense que ce que je leur offre vaut bien mieux que n'importe quelle proposition de ta part.

— Non, Ross, tu ne feras pas une chose pareille, affirma Jack d'un ton à la colère contenue. N'y pense même pas !

C'était plus que Ross ne pouvait en supporter. Il donna un violent coup de poing à la carrosserie de son pick-up, qui se cabossa légèrement sous le choc.

— Tout cela à cause de Remi, n'est-ce pas ? demanda-t-il en serrant les mâchoires au point d'en avoir mal. Mais enfin, Forrest, c'est une histoire vieille de quatorze ans. C'était un jeu ! Un pitoyable match de football entre lycéens. Je l'admets, c'était une terrible erreur, mais elle remonte à si longtemps.

— C'était ta faute, Ross ! Et tu t'es arrangé pour que mon frère la commette à ta place.

— Que veux-tu dire ? Que, *moi*, j'ai corrompu ton frère ? Le prends-tu donc aujourd'hui encore pour un saint ? Désolé de t'enlever tes dernières illusions, mais Remi était ravi de collaborer. Il trouvait cela très drôle. Ce qu'il a pu rire dans les vestiaires ! J'aurais aimé que tu l'entendes.

— Tais-toi, dit Jack d'une voix sourde.

— Pourquoi devrais-je me taire ? Cela fait quatorze ans, il y a prescription. Cette histoire ne va quand même pas me coller à la peau jusqu'à la fin de mes jours !

Les mains de Jack se crispèrent sur ses clés, au point que les jointures de ses doigts devinrent toutes blanches. Tout comme Ross, il était près de perdre son sang-froid.

Passant près de lui et le bousculant au passage sans s'excuser, il contourna le pick-up pour s'écarter de l'entraîneur, comme s'il ne se faisait pas confiance.

— Ne compte pas sur moi pour t'accorder la rédemption, lui asséna-t-il. Et tu n'aurais sûrement pas ma bénédiction pour Tommy.

Par-dessus le pick-up, il fixa Ross d'un air dur, menaçant, avant d'ajouter :

— Et, maintenant, écoute-moi bien, Riser ! Le fait que tu sois un flambeur et que tu puisses perdre ton pick-up lors d'une partie de poker ne me regarde pas. Tu peux bien parier tes organes vitaux aux jeux de hasard si tu en as envie, mais je te préviens : si tes problèmes affectent Tommy, tu ne t'en sortiras pas vivant.

Agenouillée devant le parterre vide, Molly creusait la terre avec ses doigts, à la recherche de racines éparses. Cela faisait deux heures qu'elle se dédiait à cette tâche, et elle avait presque terminé son travail. Elle y avait mis tant d'énergie qu'elle avait retiré son pull pour le suspendre à une branche. Elle avait également abandonné ses gants en caoutchouc afin de mieux sentir la résistance des mauvaises herbes lorsqu'elle les arrachait. Ses joues étaient grumeleuses aux endroits où elle avait essuyé la sueur avec ses doigts maculés de terre, et ses genoux tout engourdis, à cause de la sensation de froid et d'humidité qui pénétrait sa peau, à travers son jean.

Elle s'assit sur ses talons, satisfaite. C'était le genre de travail qu'elle déléguait d'ordinaire aux petites mains. De fait, trois autres personnes procédaient au même nettoyage du sol à des endroits différents de la plantation, et deux équipes œuvraient dans le parc de Demery. Aujourd'hui cependant, elle avait besoin de réfléchir, et elle savait qu'elle réfléchissait bien mieux les mains plongées dans la terre.

Comme d'habitude, elle n'avait pas été déçue. Elle avait eu une nouvelle vision, pour l'aménagement paysager d'Everspring.

La proposition qu'elle avait soumise à Lavinia, au moment de la signature de leur contrat, était fondée sur les souvenirs qu'elle avait conservés de l'endroit. Or, la plantation, au bout d'une décennie, présentait un tout autre visage : elle avait subi des orages, des épidémies, de mauvais élagages, des pousses incontrôlées. Hier, par exemple, il avait fallu abattre un chêne bicentenaire, autour duquel s'organisait tout l'aménagement du jardin, parce qu'il avait été victime de la foudre et que son tronc était mort.

Une fois l'arbre disparu, elle avait compris qu'elle devait impérativement revoir ses plans initiaux. Et Dieu merci l'inspiration lui était venue ! Maintenant, elle était impatiente de commencer les nouvelles esquisses, de fixer sur papier ses idées qui étaient pour l'instant aussi irréelles que des bulles d'air. Elles devaient les transformer en une réalité tangible.

La terre et l'imagination, c'étaient là les deux clés de voûte de son travail. Que demander de plus ? Elle souleva une poignée de terre noire et riche et inhala la senteur du terreau avec un plaisir presque sensuel. Puis elle laissa son regard errer sur le parterre voisin : les bulbes commençaient à former de tendres pousses vertes.

Elle sentait que son cœur battait à un rythme plus rapide que la normale, mais pas de façon irrégulière. C'était toujours le cas lorsqu'elle était exaltée, et elle aimait cette sensation…

Elle aimait son travail. Elle aimait la plantation Everspring…

— Coucou, maman !

Molly releva la tête et rencontra le regard de sa petite fille qui rentrait de l'école. Machinalement, elle jeta un coup d'œil à sa montre… Zut ! Le cadran était si maculé de terre qu'elle ne pouvait même pas lire l'heure. Manifestement, l'école était déjà terminée puisque Liza était de retour à la maison. Comme elle se sentait coupable d'avoir oublié l'heure ! Elle était si absorbée par sa besogne qu'elle n'avait même pas entendu le bus arriver.

— Je suis désolée, ma chérie. Moi qui voulais aller te chercher à l'arrêt d'autobus…

Liza lui sourit gentiment.

— Cela ne fait rien. Tommy Cheatwood m'a raccompagnée. Il venait ici parce que M. Forrest et lui doivent aller pêcher. Ils m'ont invitée à me joindre à eux. Est-ce que tu me donnes la permission ?

L'idée de cette partie de pêche emplissait Liza de joie, comme l'indiquaient ses prunelles pétillantes. Et, pourtant, elle n'avait jamais pêché de sa vie ! Sa fille adorait faire de nouvelles expériences. De l'origami à l'élevage de fourmis en passant par la danse country, elle était toujours partante.

— Et tes devoirs ?

— J'ai juste un exercice de maths sur les chiffres impairs. Je pourrai le faire après dîner. S'il te plaît, maman !

Difficile de résister au sourire enjôleur de sa fille… Et, pourtant, elle hésitait. L'idée que Liza passe l'après-midi en compagnie de Jack la rendait nerveuse. Et s'il se mettait à lui poser des questions indiscrètes ? Elle ne l'avait pas préparée à une telle éventualité...

Liza savait simplement que son père était mort avant de pouvoir épouser sa mère, Molly lui ayant promis de tout lui raconter sur son père quand elle serait un peu plus grande. La tentation de lui mentir sur ses origines avait été grande, mais sa conscience s'y était refusée.

— Je ne sais pas, ma chérie. Il se peut que M. Forrest se soit senti obligé de t'inviter pour ne pas paraître grossier et qu'en fait il...

— Allons, Mo, on dirait que tu ne me connais pas !

Mère et fille tournèrent simultanément la tête pour voir Jack avancer vers elles. Il portait un jean délavé et un sweat-shirt vert — ainsi que trois cannes à pêche. Une expression amusée empreignait ses traits.

— Je n'ai rien contre le fait d'être grossier en certaines circonstances, mais, en l'occurrence, nous avons invité Liza parce que nous pensions que la partie de pêche serait plus amusante à trois qu'en tête à tête. N'est-ce pas, Liza ?

A ces mots, il fit un clin d'œil à la fillette qui le gratifia d'un large sourire.

— Eh bien, Molly, qu'en dis-tu ? ajouta-t-il. Je te promets que nous veillerons à ce qu'elle ne tombe pas à l'eau.

Liza se taisait, mais ses yeux fixés sur sa mère étaient suffisamment éloquents.

— Entendu, déclara Molly.

A peine eut-elle prononcé ces trois syllabes que Liza bondit de joie et l'enlaça.

— Laisse-moi le temps de me laver les mains et je te prépare rapidement un goûter, poursuivit Molly.

— Inutile, déclara Jack. Lavinia a confectionné des sandwichs pour les deux enfants...

Il jeta un regard en biais à Molly et ajouta entre ses dents :

— ... je lui ai conseillé de la confiture, mais elle a insisté pour du concombre et du fromage.

— *Cool* ! s'exclama Liza. Je n'en ai jamais mangé.

— Alors va vite dans la cuisine avant que Tommy ne dévore ta part ! Je t'attends ici.

Une fois Liza hors de portée de voix, Molly éclata de rire et s'exclama :

— Couard ! N'es-tu pas tenté par les sandwichs au concombre ?

— Non merci ! D'ailleurs, toi-même, tu ne t'es pas précipitée dans la cuisine. Du reste, je ne crois pas que Lavinia t'aurait laissée entrer, vu ton état.

Retirant une aiguille de pin de la chevelure désordonnée de Molly, il continua :

— Je croyais que tu étais le cerveau de l'entreprise, pas les muscles.

Elle esquissa un sourire penaud, consciente qu'elle devait avoir une tête abominable ! Elle avait sûrement de la terre un peu partout sur le visage, qui sait, peut-être même une moustache car elle s'était souvent essuyé le dessus de la lèvre supérieure tellement elle avait eu chaud.

— C'est pourtant la partie que je préfère, dans ce métier. Or, dès que l'on commence à avoir du succès, on passe de moins en moins de temps à faire réellement ce qu'on aime. Le système est un peu pervers, tu ne trouves pas ?

— Entièrement de ton avis ! C'est la même chose lorsqu'on est architecte. J'ai l'impression d'être devenu un professionnel des déjeuners. Je dois enjôler les clients autour d'un verre de vin, dans des bâtiments conçus par mon équipe. Je pourrais tout aussi bien vendre des remèdes de charlatan.

— Depuis quand *enjôles*-tu les gens ? fit Molly en éclatant de rire. N'est-ce pas toi qui affirmais autrefois que les beaux parleurs avaient une langue de vipère ?

— Moi, j'ai tenu de tels propos ? Bon sang, ce que les ados peuvent être stupides ! Je devais sûrement avoir un accès de jalousie envers Remi, ce jour-là.

Lui, jaloux de Remi ?

Les jumeaux Forrest étaient certes aux antipodes en ce qui concernait leur comportement social. Remi pouvait séduire la terre entière s'il le décidait, tandis que Jack aimait provoquer jusqu'au malaise. Autrefois, Molly aurait pu croire que Jack était envieux de Remi et que, pour se démarquer de son jumeau qui versait en permanence du miel sur l'ego d'autrui, il préférait tremper ses remarques dans l'acide.

Avec le temps, elle avait fini par comprendre que la réaction de Jack était une sorte d'antidote, comme lorsqu'on rajoute des gouttes de citron dans un thé trop sucré. En tout cas, une chose était sûre : Jack n'avait jamais été jaloux de Remi.

— Remi pouvait faire tourner la tête d'une fille à force de compliments, admit-elle.

N'avait-elle pas elle-même désespérément attendu les douces flatteries de Remi et ses déclarations d'amour enflammées ? Oui, elle n'avait vécu que dans cette attente, même si elle doutait parfois de la sincérité de Remi. Oh ! Il ne mentait pas vraiment... Il exagérait parfois.

Instinctivement, elle toucha le bras de Jack et ajouta :

— Mais il était terriblement réconfortant de savoir que, si je voulais entendre la vérité, je pouvais m'adresser à toi.

Jack se mit à fixer les doigts qu'elle venait de poser sur son bras, comme hypnotisé.

Pensait-il qu'elle était en train de flirter avec lui ? Comme cette idée était gênante ! Elle retira vivement sa main.

Elle ne flirtait pas avec Jack. Pourtant, elle devait bien admettre que quelque chose était différent entre eux, aujourd'hui. Un élément nouveau, une certaine nervosité, s'était immiscé dans leur relation fraternelle et leur intimité dépourvue d'arrière-pensée. Brusquement, tout devenait un tantinet plus compliqué…

C'était sa faute. Si seulement elle ne s'était pas comportée comme une idiote, l'autre soir. La ressemblance de Jack avec Remi l'avait plongée dans une terrible confusion, alors qu'en vérité c'était le charme de Jack qui opérait sur elle. Celui d'un bel homme dynamique, aux bras puissants, réconfortants… N'y avait-il pas de quoi être troublée, après dix ans passés à cultiver des souvenirs, et en l'absence d'une nouvelle rencontre sentimentale ?

Elle remarqua qu'elle avait laissé un peu de terre sur la manche de Jack.

— Désolée, dit-elle en brossant vivement son sweat-shirt. Bon, je ferais mieux de terminer mon travail rapidement et d'aller prendre une douche. Je suis une menace ambulante pour les gens soignés qui passent à proximité.

— Puis-je t'aider ? demanda-t-il poliment.

Il jeta un coup d'œil autour de lui.

— Mon Dieu ! Je ne m'étais pas rendu compte combien Everspring aurait un tout autre visage sans le vieux chêne.

Elle opina du menton. Quel pénible spectacle que celui des ouvriers en train d'arracher à la terre un arbre bicentenaire ! Quand ils avaient enfoncé leurs lames à dents tournantes dans les racines, elle avait détourné la tête, incapable d'assister jusqu'au bout à la terrible agonie.

Elle balaya les alentours du regard.

— Le jardin a l'air perdu sans lui, ne trouves-tu pas ? dit-elle. Par sa taille imposante, il focalisait l'attention. Tout s'organisait en fonction de lui. Finalement, le jardin était devenu dépendant de sa majesté.

— Dépendant ? C'est un peu radical, non ?

— Mais vrai ! insista-t-elle, l'air absent. Vois comme les azalées et les lauriers-roses étaient regroupés pour créer un équilibre des deux côtés de l'arbre. Et les cornouillers, là-bas... On les avait choisis parce que leurs textures et leurs dimensions procuraient le terreau adéquat. Même les chemins en pierre avaient été créés à partir de l'axe central que représentait le chêne.

Molly poussa un soupir et ajouta :

— Sans l'arbre comme point de convergence, le jardin n'a plus de colonne vertébrale.

Comme il restait silencieux, elle lui jeta un regard oblique. Peut-être l'ennuyait-elle avec ses propos. Elle ne pouvait exiger de lui qu'il comprenne sa passion. Et encore moins qu'il devine qu'elle identifiait la disparition du chêne à ses problèmes personnels. Car elle avait agi semblablement avec sa propre vie, autrefois : elle avait laissé Remi en devenir le point de convergence. Sans véritablement s'en rendre compte, elle avait tout construit en fonction de lui. Même les décisions les moins importantes, elle les prenait en pensant à lui. Il était donc tout naturel qu'à sa mort sa vie se soit désintégrée.

Elle regarda Jack plus attentivement. Il ne paraissait pas ennuyé. Au contraire, il semblait considérer le jardin avec un intérêt redoublé.

— On procède de la même façon lorsqu'on construit une maison, déclara-t-il. On commence par un élément central, autour duquel on érige l'ensemble. La différence, c'est qu'on ne travaille pas avec des matériaux vivants. On peut abattre une arcade, une colonne ou une cheminée sans état d'âme. On n'a pas l'impression de les voir mourir.

Molly frissonna. Elle eut l'impression que Jack avait lu dans ses pensées. D'ailleurs, n'était-ce pas de la compassion qu'elle voyait à présent dans ses yeux ?

— Exactement ! affirma-t-elle d'un ton énergique pour masquer son trouble. C'est pourquoi j'ai décidé de faire construire quelque chose d'inanimé à la place du chêne : un belvédère. Viens voir !

Il lui emboîta le pas tandis qu'elle continuait :

— D'ici, on a une vue merveilleuse sur la rivière. J'ai en tête un superbe belvédère que j'ai repéré dans un catalogue, il y a quelques mois.

Il la rejoignit à l'endroit où se trouvait le chêne autrefois, et se retint légèrement à son bras pour ne pas perdre l'équilibre parmi les dépressions du terrain et les racines qui en émergeaient.

— Un belvédère ? répéta-t-il. Pourquoi ne plantes-tu pas un autre arbre à la place du vieux chêne ?

Elle secoua la tête.

— Non, c'est impossible. Il lui faudrait des années pour grandir et toutes les proportions du jardin en seraient faussées.

— Effectivement, tu as raison, admit-il.

Il se mit alors à fixer la rivière d'un air désinvolte, et Molly comprit qu'elle s'était fait des illusions sur son véritable intérêt. Jack l'avait écoutée par pure politesse. Rien de plus.

— Tu es adorable de me prêter attention, dit-elle en souriant. Quand je commence, je ne peux plus m'arrêter. Cela agace profondément Liza. D'ailleurs, déjà Remi me surnommait la « casse-pieds botanique ».

A sa grande surprise, Jack tourna vivement la tête vers elle et déclara d'un ton crispé :

— Je ne suis pas Remi.

Elle le jaugea un instant. Son beau regard vert était dur, tendu.

— Je sais, bredouilla-t-elle.

— Non, je ne crois pas que tu le saches. Pas véritablement, pas toujours.

— Si, insista-t-elle doucement. Je suis désolée, Jack. Je t'assure que je ne te prends pas pour Remi.

Il poussa un lourd soupir et déclara :

— Je veux bien te croire, Mo, mais prouve-le-moi en cessant de me comparer à lui.

Au même moment, il la saisit par les avant-bras, l'attirant tout près de lui. Son visage était à quelques centimètres du sien. Vu d'aussi près, il ressemblait moins que jamais à Remi. Des petites rides éclairaient le coin de ses yeux, des marques du temps qui passe qui n'avaient jamais parcouru le visage de Remi puisqu'il n'avait pas dépassé l'âge de vingt-deux ans. La bouche de Jack était également plus déterminée que celle de son jumeau, encadrée par un duvet que Remi n'aurait jamais toléré. Sans compter la chaleur qui émanait de son corps…

— Je ne le ferai plus, promit-elle.

— Et, pour l'amour du ciel, ne me juge pas en fonction des critères de mon frère ! Si je ne t'inonde pas de compliments, c'est parce que je te respecte bien trop pour te flatter. Si je t'écoute lorsque tu me parles, c'est parce que ce que tu dis m'intéresse.

Molly ne doutait pas un instant de la sincérité de Jack. Et, même si elle se sentait l'âme d'une traîtresse en l'admettant, elle savait aussi que l'amitié qui la liait à Jack avait toujours été plus honnête, plus fiable que son histoire d'amour avec Remi.

Hélas, elle ne pouvait pas le lui dire. Car, d'une certaine manière, c'était encore une forme de comparaison. Or, ne venait-elle pas de lui promettre de ne plus le comparer à Remi ?

— Je comprends, dit-elle simplement.

Il hocha la tête, sans la relâcher.

Ils restèrent ainsi quelques minutes, enveloppés dans l'intimité intense que créaient autour d'eux la végétation tachetée d'éclats de soleil, l'agréable fraîcheur de l'hiver finissant, la brise qui murmurait des mots inintelligibles à leurs oreilles... Leurs regards étaient enchaînés l'un à l'autre.

Quand Jack reprit la parole, son timbre était à la fois chaleureux et amusé :

— Et si je t'embrassais...

Le cœur de Molly cessa de battre pendant quelques secondes.

— ... et si je t'embrassais, murmura-t-il, ce serait parce que tu es devenue une femme terriblement sexy et que j'ai l'impression que ta bouche a le goût suave des roses d'été.

Elle scruta attentivement le visage de Jack pour voir s'il ne se moquait pas d'elle. Même si une lueur amusée brillait dans les yeux de ce dernier, elle n'y voyait aucune malice. Et la chaleur de Jack commençait à se communiquait à son corps...

— Finalement, je crois que tu es en train de me flatter, dit-elle en adoptant un ton détaché. Vu mon état, mes lèvres doivent davantage avoir goût de terre que de rose !

Traçant soudain le contour de ses lèvres charnues avec son pouce, Jack demanda à brûle-pourpoint :

— Et si nous essayions, pour voir qui a raison ?

Elle eut l'impression de recevoir une secousse électrique. Elle ne parvenait pas à croire à la réalité de ce qu'elle vivait. Pourtant, elle sentait tout son corps attiré par le sien, comme les bulbes tendant leurs pousses vers la surface de la terre, attirés par le grand jour…

Sans se laisser le temps de réfléchir, elle posa ses mains sur la poitrine de Jack, oubliant la terre qui les maculait, et effleura ses lèvres, aussi doucement qu'elle le put.

Sa peau était brûlante sous l'air frais.

Sa barbe piquait, mais ses lèvres étaient de velours.

Une odeur typiquement masculine de musc et de savon émanait de lui.

La puissance virile à l'état pur. Une puissance qui appartenait définitivement à Jack, pas à Remi.

Il émit un léger grognement, tandis que Molly se concentrait sur les moindres sensations qu'elle éprouvait, avide de comprendre ce qui se jouait en elle…

Soudain, des bruits de pas et des rires résonnèrent dans l'air. Jack lâcha Molly qui recula vivement, se sentant prise en flagrant délit, comme autrefois, dans le cabriolet de Remi.

Elle se mit à le fixer, terriblement confuse.

La petite voix vindicative de Tommy vint définitivement les replonger au cœur de la réalité.

— Jack, dépêche-toi ! Ma mère va me botter le derrière si je ne suis pas rentré à 18 heures.

— J'arrive, répondit Jack. Les cannes à pêche sont près du bosquet de hêtres.

Liza montra à son tour le bout de son nez et regarda d'un air intrigué sa mère, puis Jack.

— Es-tu certaine que tu ne veux pas venir avec nous, maman ?

— Je dois finir mon travail, ma chérie, répondit Molly. Et puis il faut que je prépare le dîner.

Dieu merci, sa voix n'avait rien laissé transparaître de son émoi intérieur.

Tandis que les enfants choisissaient leur canne à pêche, Jack tourna une dernière fois vers Molly son regard vert et rieur, et murmura :

— Tes lèvres ont vraiment le goût des roses, même si, maintenant, j'ai de la terre partout.

6.

Dans la salle de réflexion, il n'y avait pas de chauffage et il y régnait un froid bien plus rigoureux que sur la planète Cuspiane, au beau milieu de la nuit. Liza était convaincue que c'était fait exprès. Les professeurs voulaient sûrement que les enfants aient de plus en plus froid et de plus en plus peur afin qu'ils se mettent enfin à réfléchir aux mauvaises actions qu'ils avaient commises, jusqu'à ce qu'ils les regrettent et se mettent à pleurer.

Si Liza avait un peu froid, elle n'avait en revanche pas peur. Ou si peu. Il était rare qu'elle ait des problèmes de discipline. Quand sa mère arriverait, elle lui expliquerait ce qui s'était passé et tout rentrerait dans l'ordre. Sa mère comprendrait.

Elle comprendrait sûrement.

Liza jeta un coup d'œil à Tommy Cheatwood, la seule autre personne avec elle dans la pièce. De toute évidence, lui non plus n'avait pas peur. On leur avait ordonné de ne pas se lever de leur chaise, mais Tommy s'était déjà levé au moins une dizaine de fois. A l'aide d'un élastique, il visait les unes après les autres les lettres de l'alphabet aimantées, fixées au tableau. Il en était à la lettre « J ». Il était rudement adroit. A chaque tir, il se levait pour récupérer son élastique.

— Ne crains-tu pas qu'ils te surprennent debout ? demanda Liza.

Elle savait que Tommy ne lui répondrait pas, car cela faisait déjà une bonne vingtaine de minutes qu'ils étaient consignés ici et qu'il l'ignorait. Elle avait donc pris le parti de l'imiter. Pour se distraire, elle avait dessiné le couronnement du roi Chantsaule sur un morceau de papier froissé qu'elle avait trouvé sur le bureau. Malheureusement, elle n'avait pas de crayons de couleur pour égayer l'ensemble et elle commençait à sérieusement s'ennuyer. Tommy avait l'air de bien plus s'amuser, avec son élastique.

Lui lançant un regard désabusé, il répondit alors d'un ton moqueur :

— Oh si ! Je meurs de peur.

Prenant le temps de viser le « K », il poursuivit :

— Qu'est-ce qu'ils peuvent faire de plus ?

Elle comprit ce qu'il voulait dire : l'école avait *déjà* appelé sa mère.

— Est-ce qu'elle va te gronder ? demanda-t-elle.

Maintenant qu'ils se parlaient, Liza ne voulait pas qu'ils retombent dans le mutisme précédent, sinon elle allait finir par avoir réellement peur.

— Pour sûr ! Elle va être furieuse, dit-il avec un sourire bravache.

Il alla ramasser son élastique, puis retourna sa chaise avant de s'asseoir à califourchon. Il regarda Liza droit dans les yeux et poursuivit :

— Je suis sûr que la tienne ne le sera pas.

Bien que Liza en soit aussi convaincue, l'assurance de Tommy l'agaça.

— Ah bon ? dit-elle en relevant le menton. Et comment le sais-tu ?

— Ta mère n'est pas le genre à s'énerver, plutôt à être déçue.

Liza se mordit la lèvre, sachant qu'il aurait été déplacé de rire. Pourtant, l'analyse de Tommy correspondait typiquement au caractère de sa mère.

— Les adultes sont toujours plus inquiets quand ce sont des garçons qui sont impliqués dans des bagarres, continua-t-il d'un ton docte. Ils pensent que c'est un mauvais signe. Quand les filles se bagarrent, ils trouvent au contraire qu'elles font preuve de courage.

Liza n'était pas certaine de la véracité de cette observation. Mais il était vrai que, jusqu'à présent, elle n'avait jamais été impliquée dans une bagarre.

— Qu'est-ce que ta mère va te faire ? s'enquit-elle.

Tommy soupira. Etait-ce à la perspective de ses futures punitions ou à cause des questions qu'elle lui posait ?

— Elle va me crier dessus. Ma mère adore hurler. Et puis elle va me consigner dans ma chambre, mais heureusement, dès la semaine prochaine, elle aura oublié. Ce que je déteste le plus, c'est que tous ses petits amis ne vont pas manquer de lui dire qu'il lui faudrait un homme, pour que j'ai un modèle masculin.

Tommy prit une mine dégoûtée avant de continuer :

— Franchement, je ne vois pas le rapport. Même si j'avais un père, je ne m'entendrais pas avec Junior Caldwell.

— Je suis d'accord avec toi. Personne ne peut s'entendre avec Junior Caldwell.

C'était à cause de lui qu'ils avaient été conduits dans la salle de réflexion. A la récréation, elle l'avait vu arriver dans le dos de Tommy, une bouteille d'eau à la main. Elle savait que les deux garçons se bagarraient souvent, mais cette attaque en traître l'avait révoltée. Aussi avait-elle poussé Junior — un peu brusquement peut-être ? — et crié pour avertir Tommy. Ce dernier avait fait volte-face et, instinctivement, mis un coup de poing à Junior. Qui s'était alors laissé tomber par terre en hurlant.

Avant que Liza n'ait le temps de fournir la moindre explication, on les avait consignés, Tommy et elle, dans la salle de réflexion, et leurs parents avaient été mis au courant par téléphone. Quant à Junior, il avait fini avec une compresse et un soda à l'infirmerie !

— Junior veut jouer les durs, mais, en réalité, c'est un bébé, ajouta Liza.

— C'est bien vrai.

Tommy semblait presque amical à présent. Peut-être lui avait-il pardonné son intervention ? Alors que, au moment où la maîtresse était intervenue, il lui avait déclaré qu'il n'avait pas besoin qu'une fille le protège. Et lorsqu'elle avait répliqué qu'il préférait donc prendre une douche en public, il lui avait tourné le dos et ne lui avait plus adressé la parole.

— Qu'est-ce que tu dessines ? demanda-t-il en louchant sur le dessin de Liza.

Instinctivement, elle recouvrit la feuille avec son bras, ne sachant si elle devait évoquer devant lui la planète Cuspiane, les Chantsaule et les Roudeboue. Parfois, Tommy pouvait être très gentil, comme lors de la partie de pêche avec Jack. Mais que penserait-il de sa planète ? Elle ne tenait pas à ce qu'il se moque d'elle.

— C'est juste un dessin, dit-elle d'un ton détaché. J'adore dessiner.

— Fais voir, insista-t-il.

Il se leva de sa chaise pour venir se placer derrière elle, sans cesser d'entortiller son élastique entre ses doigts, comme s'il lui était impossible de rester tranquille.

Les garçons étaient décidément bizarres !

Non sans réticence, elle souleva le bras pour qu'il puisse regarder. Tommy contempla longuement son dessin sans dire un mot. Subitement, Liza se sentit nerveuse. Tout à l'heure, son dessin lui plaisait bien, mais, maintenant, il lui semblait stupide. La couronne du roi Chantsaule était bien trop grande pour sa tête, et sa cape, censée être de l'hermine, avait l'air d'un bout de tissu froissé qui avait atterri par hasard sur ses épaules.

— Qui est ce bonhomme ? demanda Tommy avec le plus grand sérieux, comme s'il s'agissait d'un problème de maths à résoudre. C'est Jack ?

— En quelque sorte, répondit Liza en rougissant.

Qu'allait-il penser ? Dirait-il aux autres garçons qu'elle dessinait des choses vraiment stupides ? Ou irait-il raconter à Jack Forrest qu'elle l'avait choisi pour devenir le roi de la planète Cuspiane.

— Tu dessines rudement bien, dit-il alors. On dirait vraiment Jack. Et la reine, c'est ta mère ?

Comment le savait-il ? La reine était réellement très mal dessinée. Tommy avait dû identifier sa mère grâce à la queue-de-cheval. Elle en portait une, l'autre jour, quand elle travaillait dans le jardin.

— Je suppose, dit-elle prudemment.

Tommy se mit à la fixer en sourcillant, comme s'il réfléchissait profondément.

— Est-ce que cela a un rapport avec le baiser que Jack a donné à ta mère, l'autre jour ?

— Non, répondit-elle vivement.

Elle s'empara alors de son dessin et le plia pour le réduire à un minuscule triangle.

— Tu ne serais pas par hasard en train de croire que Jack et ta mère pourraient sortir ensemble et que Jack pourrait venir habiter chez toi et devenir ton père ? demanda Tommy d'un ton insidieux.

— Sûrement pas ! dit Liza en se levant, oubliant la consigne. C'est stupide.

— Rassure-toi, cela n'arrivera pas. Ma mère a déjà embrassé Ross River et cela ne veut pas dire qu'il va emménager chez nous.

Là-dessus, il se remit à jouer avec son élastique, mais, cette fois, il le fit claquer contre sa paume. Il la considérait toujours avec un sourire amusé.

— Est-ce que parfois tu aimerais avoir un père ?

Liza serra très fort la main, de sorte que les angles de son triangle se plièrent sous la pression.

— Non ! Pas du tout, répondit-elle.

Tommy hocha la tête, d'un air songeur.

A cet instant, ils entendirent du bruit dans le couloir. Des voix et des pas qui se rapprochaient. Tommy s'assit prestement à sa place, et prit un air renfrogné.

— Moi non plus, chuchota-t-il. Et surtout pas cet idiot de Ross !

Une fois sortie du parking de Radway, Molly jeta un coup d'œil dans le rétroviseur, admirative de la dignité tranquille de sa fille. Au même âge, elle aurait été effondrée si elle avait été mêlée à une histoire aussi pénible. Elle se souvenait qu'une fois elle avait dû annoncer à son père qu'elle avait raté son devoir de latin. Il avait fallu qu'elle se retienne de pleurer, car son père ne supportait pas qu'elle fasse « sa fichue fontaine ». Elle lui avait tendu sa copie, les mains tremblantes, la gorge serrée...

Dans le cas de Liza, être renvoyée de l'école pour mauvais comportement, et particulièrement à cause d'une bagarre, ce n'était pas une mince affaire pour une petite fille. Mais, même si Liza regrettait l'incident, elle n'en avait pas l'air affectée. La preuve, elle chantonnait tranquillement, sur la banquette arrière. Elle était toutefois convenue que pousser un camarade violemment, même s'il s'apprêtait à commettre une sottise, ce n'était pas bien et elle avait sagement écouté Molly qui lui suggérait des solutions plus pacifiques, la prochaine fois.

Sentant le regard de sa mère dans le rétroviseur, Liza leva les yeux et lui sourit.

— Est-ce qu'on est bientôt arrivé ? Je suis impatiente de voir la maison où tu as habité autrefois. C'est *cool.*

— *Cool* ?.

Elle était amusée par ce terme récurrent dans la bouche de sa fille et qui était censé désigner des choses positives.

Comment se faisait-il que Liza pense que cette maison était *cool* ?

— Oui, renchérit la fillette avec enthousiasme. Je meurs d'envie de voir le chêne dont les racines ont tellement poussé qu'elles commençaient à soulever le patio. Comme dans *Jack et le haricot magique.*

Molly sourit. Finalement, elle était heureuse que Liza soit avec elle pour ces « retrouvailles » avec la maison de son enfance. Durant les mois cauchemardesques qui avaient suivi la mort de Remi, lorsqu'elle s'était aperçue qu'elle était enceinte, sa mère et elle avaient fui la maison familiale comme si elle était en feu, sans regarder en arrière…

Sa mère avait d'ailleurs divorcé pour se remarier sans tarder. Molly, elle, s'était entièrement consacrée à sa maternité. Quant à son père, après le divorce, il avait quitté la maison, changeant régulièrement de ville avant de s'éteindre, quelques années plus tard, dans un autre

Etat. Ni Molly ni sa mère n'avaient eu la force de revenir à Demery. Elles avaient loué les services d'une femme de ménage pour nettoyer la maison de fond en comble, puis elles l'avaient laissée vacante, se contentant de payer les impôts locaux par courrier.

Aussi Molly avait-elle été fort surprise de recevoir, le matin même, l'appel d'un agent immobilier lui apprenant qu'une personne avait fait une offre pour la maison. Elle avait accepté de rencontrer le potentiel acquéreur à 3 heures de l'après-midi, à la maison, même si la perspective de revoir le lieu lui donnait la nausée.

Oui, elle se réjouissait de la présence de Liza à ses côtés durant cette épreuve. Le monde semblait toujours plus beau, vu par les yeux de sa fille.

D'ailleurs, le chêne auquel elle avait fait allusion ne contenait-il pas un peu de magie ? Sa mère avait été horrifiée de découvrir que les puissantes racines de l'arbre avaient déformé le patio. Molly, quant à elle, avait été ravie de constater que le jeune arbuste du début était devenu assez fort pour soulever le sol. Elle priait pour que ses racines croissent encore et encore, et finissent par la soulever haut, très haut, afin qu'elle se retrouve loin, très loin de la colère de son père et des pleurs maternels.

Quand Molly arriva à la hauteur de la maison, ce fut pour découvrir que la réalité était bien plus décourageante que dans ses souvenirs. Le voisinage s'était amélioré, la population du quartier avait visiblement changé. Toutes les façades avaient été rénovées et de nouveaux jardins aménagés. Et ce mini-renouveau urbain soulignait la vétusté de sa maison d'enfance.

Alors qu'autrefois le pavillon était le plus soigné du quartier, il semblait maintenant fort négligé. La peinture des volets s'écaillait, la façade était grise. La pelouse, quasiment inexistante, était envahie de mauvaises herbes. Le portail de bois avait perdu une latte, ce qui prêtait une sorte de sourire édenté et lugubre à la maison.

Un miracle que quelqu'un veuille l'acheter !

Soudain, elle se demanda si l'appel n'était pas un canular. Cette maison était dans un état lamentable et elle en avait honte. Avait-elle réellement cru qu'en tournant le dos au passé elle pourrait définitivement l'occulter ? Elle l'avait tout simplement laissé pourrir, comme des fleurs qu'on oublie d'arroser.

Même la joie de vivre de Liza s'était effritée face à la triste maisonnette. Elle contemplait le spectacle, bouche entrouverte.

— Je sais, commença Molly, elle est dans un état pitoyable. Tout à fait le genre de maison qui conviendrait à des Roudeboue, non ?

— Non, répondit Liza, je ne crois pas. A mon avis, à l'intérieur, c'est une maison Chantsaule. Simplement, elle a été victime d'un sortilège. Comme le château de la Belle au bois dormant, lorsque les épines poussaient tout autour. On peut la transformer pour qu'elle redevienne jolie. Je crois qu'il faudrait planter des rosiers. Les Chantsaule adorent les roses.

Molly se mit à rire. Il lui était difficile de voir un château, même ensorcelé, dans cette masure ! Cependant, l'optimisme de Liza était contagieux. La sensation de décadence et d'échec qui l'oppressait s'apaisa, et la maison redevint à ses yeux ce qu'elle était en réalité : une simple demeure non occupée depuis quelques années. Il suffirait d'un bon coup de peinture et d'un bon paysagiste pour lui redonner un air convivial, rien d'impossible en somme. Et c'est vrai qu'en replantant quelques rosiers...

— Ma chérie, tu es unique, murmura-t-elle doucement à l'adresse de sa fille.

— Il faudrait de grosses roses rouges, insista Liza. Et aussi des rideaux en mousseline aux fenêtres. Viens ! Visitons-la.

Une heure plus tard, l'agent immobilier avait eu le temps de venir et de repartir. L'offre d'achat était si basse que, même si Molly avait hâte de se débarrasser de la maison, elle ne lui avait pas donné son accord. Elle préférait réserver sa réponse au lendemain. Ne disait-on pas que la nuit portait conseil ?

Debout derrière les carreaux de la cuisine, elle regardait Liza qui grimpait aux longues branches du chêne, son manteau rouge vif formant une tache de lumière mouvante et joyeuse sur l'arbre dénudé. Les éventuels acheteurs en avaient-ils seulement remarqué la majesté ? Bien sûr, il avait besoin d'être taillé, les branches inférieures touchaient presque le sol. Mais un arbre aussi auguste ne jaillissait pas du sol en une nuit. Et l'été, son ombre transformait la cour en un îlot de fraîcheur. Oui, à lui seul, il donnait bien plus de valeur à la propriété que ce qu'on lui avait offert. Et puis, si elle réveillait le tout à l'aide de peinture, de rideaux, et de roses...

Elle fut interrompue dans ses pensées par une voix flûtée.

— Bonjour, Mme Lorring. Nous avons vu votre voiture dans l'allée. Est-ce que Liza est avec vous ?

Molly se retourna vivement, surprise de voir Tommy Cheatwood dans la cuisine. Elle qui croyait qu'Annie l'aurait attaché au pied de son lit en le forçant à écrire cent fois, d'une belle écriture : « Je ne frapperai plus mes camarades de classe. »

— Bonjour, Tommy.

Chaque fois qu'elle le voyait, elle avait un mouvement de surprise à cause de sa ressemblance avec Jack. Elle lui fit un grand sourire.

— Est-ce que ta mère est avec toi ?

Elle l'espérait. Annie avait elle aussi grandi dans le quartier, elle pourrait lui dire le prix du mètre carré, aujourd'hui.

— Non, elle est encore au magasin. C'est Liza, dans l'arbre ? demanda-t-il.

Il désigna d'un index taché d'encre le point rouge qui se déplaçait agilement de branche en branche, derrière la fenêtre.

— Effectivement, répondit-elle.

Tommy voulut alors s'élancer hors de la cuisine, mais Molly l'arrêta dans sa course.

— Attends une seconde, Tommy !

— Oui ? fit-il en se retournant.

— Avec qui es-tu venu…

— Avec moi.

Jack se dessina alors dans l'encadrement de la porte. Une version adulte de Tommy. C'était si troublant que Molly oublia d'en respirer pendant quelques secondes.

— Je suis allé le chercher à l'école et nous attendons que sa mère sorte du travail. Le dernier vœu du futur condamné était de retrouver Liza et de grimper aux arbres avec elle. Je n'ai pas eu le cœur de refuser.

— C'est toi qui es allé le chercher à Radway ? L'école t'appelle lorsque Tommy a des ennuis ?

Elle avait parlé sans réfléchir et regretta sa curiosité car cela ne la regardait pas. Jack ne lui devait aucune explication sur Tommy — pas plus qu'elle ne lui en devait sur Liza.

Il ne lui en fournit d'ailleurs aucune, se contentant de répondre :

— Ils ont appelé Annie, mais, comme elle ne pouvait pas se libérer, elle m'a prié de passer à sa place.

— Ah, je comprends ! fit Molly, soulagée qu'il ne relève pas son indiscrétion.

Désireuse de changer de sujet, elle ajouta :

— D'après le récit de Liza, je ne crois pas que ce soit leur faute. Crois-tu que Tommy va être sévèrement puni ?

— Bah, Annie fait beaucoup de bruit, mais, en réalité, elle craque facilement et ne peut jamais en vouloir plus de trente minutes à son petit monstre. Dans quelques années, il comprendra son manège et je crains qu'elle n'ait de grosses difficultés avec lui.

La discipline d'un père aurait été la bienvenue, pensa Molly. Elle-même savait combien il était difficile d'élever un enfant seule, même si Liza était une fillette qui ne posait pas grand problème. Elle ne s'imaginait pas une seconde avec un fils aussi turbulent que Tommy. Pas sans père, en tout cas.

Elle se garda toutefois de formuler ses pensées à voix haute.

Jack paraissait à mille lieues de ses émois intérieurs. S'asseyant sur un tabouret derrière le comptoir, il examina longuement la pièce vide et déclara :

— J'avais presque oublié comment c'était à l'intérieur. Il y a si longtemps...

— Moi aussi, confessa-t-elle.

Elle scruta à son tour la cuisine, essayant de la voir avec les yeux de Jack. Pour lui, elle avait sûrement l'aspect d'une cuisine normale, typique d'un foyer américain appartenant à la classe moyenne. Jack ne soupçonnait pas le nombre de dîners tendus et pénibles qu'elle avait pris ici. Il ne pouvait pas entendre les échos des bouteilles de bière que son père brisait violemment après les avoir vidées, les pleurs étouffés de sa mère, les battements désespérés de son cœur de petite fille…

Soudain, elle se rendit compte que Jack avait cessé d'observer la pièce pour fixer son regard sur elle.

— Cela fait longtemps, reprit-il, mais peut-être pas assez encore… Je me trompe ?

Croisant son regard, elle rougit légèrement et lui demanda :

— Suis-je toujours aussi transparente ?

— Je te connais depuis longtemps, Mo. Tu peux te confier à moi, si tu veux.

Non, elle ne voulait pas reparler de tout cela. Elle se rappelait la loi cardinale de sa mère : ne jamais raconter à l'extérieur ce qui se passait à l'intérieur. L'alcoolisme de son père était un triste et horrible secret que le trio cachait farouchement au reste du monde.

Molly effleura les tiroirs. Le Formica était abîmé. Elle se rappela le jour où son père avait tout cassé, ici. Il était dans une rage folle contre sa mère, et elle s'était sentie coupable sans savoir pourquoi.

— Mon père buvait, dit-elle tout à trac, choquée par ses propres paroles.

Elle n'avait jamais parlé à personne de l'alcoolisme de son père, pas même à Remi. Pourquoi le disait-elle à présent ? Et pourquoi fallait-il que ce soit à Jack ?

— Il buvait beaucoup, poursuivit-elle, incapable de s'arrêter. Je n'ai pas eu une enfance très heureuse. Franchement, si je n'avais pas dû revoir cette maison, je m'en serais tout aussi bien portée.

Elle se força à regarder Jack, espérant voir le reflet de son propre choc sur ses traits. Mais il n'avait pas l'air horrifié. Il l'écoutait avec calme, comme si ses propos ne l'étonnaient pas.

Instantanément, elle comprit pourquoi c'était Jack qu'elle avait pris pour confident. Bien qu'elle ait adoré Remi — le beau et l'adorable Remi —, il était trop heureux, trop confiant, trop parfait pour la comprendre. Elle avait toujours eu la sensation que c'était un miracle qu'il l'ait élue, elle, l'ordinaire Molly Lorring, comme petite amie. Chaque jour, elle s'était battue pour être digne de cet honneur.

En revanche, Jack l'intrépide, qui avait passé la moitié de sa scolarité dans le bureau du proviseur et qui ne se conformait jamais à ce qu'on attendait de lui, avait saisi dès l'enfance ce que recouvrait la notion de faiblesse humaine. Molly se rappelait qu'il prenait toujours la défense des opprimés. C'était le champion des causes perdues.

Au fond, elle ne regrettait pas de s'être confiée à lui. Même après toutes ces années, les souvenirs étaient encore oppressants et les partager les lui rendait plus supportables.

— Tu n'as pas l'air surpris, lui dit-elle. Le savais-tu ?

— Je savais quoi ? Que l'enfance est difficile ? Oui, ce genre de choses, je le savais déjà.

Elle se mit à rire et précisa :

— Non, je parle de mon père. Etais-tu au courant de son alcoolisme ? Cela se savait-il à Demery ? Ma mère tenait tellement à le cacher.

— Je n'étais sûr de rien, mais je sentais que quelque chose n'allait pas. Je savais que tu redoutais ses colères. D'une manière générale, tu craignais toujours que les gens se mettent en colère, de sorte qu'il était facile de te manipuler.

Son regard s'adoucit lorsqu'il ajouta :

— Et je savais que tu étais malheureuse.

Un terrible nœud étreignit la gorge de Molly et elle détourna les yeux. Elle se revit à quinze ans, ramassant des bris de verre avec sa mère, dans un silence désespéré.

Et la solution pour ne plus jamais replonger dans le passé se trouvait là, sur le comptoir, matérialisée par un contrat de vente qu'elle n'avait plus qu'à signer…

— Oui, admit-elle, c'étaient des jours pas terribles.

Elle leva le regard vers Jack et ajouta en souriant :

— Mais il y avait aussi de bons moments. Je me souviens de toi et de Remi dans le cabriolet rouge, cheveux blonds au vent. J'étais certaine que vous étiez mes chevaliers servants, que vous veniez à ma rescousse pour m'emmener au château d'Everspring.

— Le château d'Everspring ? fit Jack en levant un sourcil amusé. Ne se trouverait-il pas sur la planète Cuspiane ?

Elle aimait ce ton malicieux dans sa voix. Il la taquinait comme au bon vieux temps. Elle aurait voulu répliquer en lui envoyant, par jeu, un coussin au visage, mais elle n'avait rien à portée de main, la cuisine était vide. Alors elle lui tira la langue en plissant le nez.

— Veux-tu dire que Liza a hérité de mes tendances à la rêverie ? Insinues-tu que nous n'avons pas les pieds sur terre ?

— Non, dit-il en descendant de son tabouret pour se rapprocher d'elle. Ce n'est pas ce que je voulais dire, et tu le sais.

Posant les mains sur ses épaules, il ajouta :

— Je suis en train de dire que tu as réussi l'éducation de ta fille, Mo.

A cet instant, tous deux tournèrent la tête vers la cour, où Liza et Tommy livraient une bataille à un buisson tout desséché. Chaque enfant tenait un rameau à la main et, bras fièrement levé, comme dans un film de Zorro, ils fonçaient vers leur ennemi épineux. Ils étaient rouges d'excitation et ne cessaient d'éclater de rire.

— Elle a hérité de ta capacité à créer de la beauté et de la joie où qu'elle aille, lui dit-il. A l'aide de ce qu'elle a sous la main... Et si, autrefois, Everspring t'a aidée à être heureuse, j'en suis ravi.

— Everspring m'a aidée bien plus que tu ne peux l'imaginer, murmura Molly, d'un air songeur. Toi aussi d'ailleurs. Toi et Remi...

Il resserra légèrement son étreinte sur ses épaules. Juste assez pour la faire frissonner.

— C'était un honneur, madame, dit-il d'un ton pince-sans-rire.

Une sensation d'impuissance la submergea brusquement. Elle ne savait pas comment gérer les nouveaux sentiments qui l'envahissaient depuis son retour à Demery. Ces frémissements de conscience qui la traversaient chaque fois qu'elle se retrouvait en compagnie de Jack. Ils étaient si compliqués. Si confus aussi, à cause du souvenir de Remi qui flottait entre eux... Mais aussi en raison de l'étrange plaisir que la présence de Jack lui procurait. Naturellement, ses beaux yeux rieurs lui rappelaient Remi, mais sa bouche, aux contours affirmés, était bien à lui. Et puis cette ironie, cette façon qu'il avait de la taquiner et qui traduisait une forme de sagesse, n'avait rien à voir avec celle de son jumeau. Ni même d'ailleurs avec le Jack d'autrefois. Elle était en présence d'une nouvelle personne, un homme mûr, qu'elle apprenait à connaître.

Soudain, elle eut de nouveau envie de l'embrasser, comme dans le jardin… D'explorer les différences entre la bouche de Remi et la sienne. Mais déjà Jack retirait ses mains pour se saisir vivement du contrat posé sur le comptoir.

— Bon sang ! dit-il en l'approchant de ses yeux pour vérifier qu'il lisait correctement la somme inscrite. Tu ne vas pas accepter cette offre, j'espère !

Se raidissant, elle répliqua :

— Je ne sais pas, je n'ai pas encore pris de décision.

— Refuse ! décréta-t-il en reposant le contrat. Cette offre est ridicule.

— Je n'en suis pas aussi sûre que toi. La maison est en ruine. Il n'est guère réaliste d'attendre une offre beaucoup plus avantageuse. A moins d'entreprendre des travaux de rénovation.

— Pourquoi pas ? Il suffirait de refaire la toiture et de repeindre le tout. Tu pourrais te charger toi-même de recréer le jardin. Allons, Mo, tu connais la valeur de l'immobilier. Si tu investis mille dollars, cela t'en rapporte trois mille.

— Je n'ai pas le temps, Jack, dit-elle d'un ton vaguement agacé. Je dois déjà réaménager Everspring, gérer le nouveau projet concernant le parc…

— Où est le problème ? dit-il d'une voix impatiente. Je peux te dessiner rapidement des plans de réaménagement intérieur, tu engages une équipe, je te recommande des ouvriers, et le tour est joué ! Quant à la cour, elle est toute petite, ce ne sera pas bien compliqué.

— Non, je n'en ai pas envie, répondit-elle.

Elle était consciente de paraître entêtée et irrationnelle, mais elle était incapable d'adopter une attitude plus positive.

Un silence s'installa entre eux, jusqu'à ce qu'il demande d'une voix douce :

— Pourquoi te braques-tu ?

S'emparant du contrat, elle l'enroula soigneusement et finit par répondre, à contrecœur :

— Les travaux supposeraient que je passe du temps ici... plus que je n'ai envie d'en passer. Je préfère me débarrasser de cette ruine et passer à autre chose. Ne peux-tu le comprendre ?

Jack ne répondit pas, se contentant de la regarder. Dans la pénombre de la cuisine, ses yeux prenaient des reflets vert foncé. Ils étaient impénétrables, ne trahissant même pas de l'irritation face à son obstination.

— Tu dois me comprendre, Jack, reprit-elle. Toi aussi, tu as un passé. Un passé que tu préfères oublier.

— C'est vrai, reconnut-il. J'ai évité pendant cinq ans cette ville et tout ce qu'elle me rappelait.

— Dans ces conditions, tu sais que...

— Il est facile de fuir le passé, Mo, la coupa-t-il. Le problème, c'est qu'il faut toujours garder le même rythme, quand on fuit, sinon, il finit par vous rattraper.

7.

Tommy savait que son temps était compté. Bientôt Jack allait venir le chercher. Et, bientôt, il serait chez lui et devrait affronter sa mère avec qui il allait passer un mauvais quart d'heure.

Bon, il pourrait le supporter à condition que ce ne soit pas elle qui finisse en larmes dans sa chambre, ainsi que cela lui arrivait quelquefois. Elle émettait alors de longs sanglots comme si elle allait s'étouffer. En fait, elle ne savait pas réellement pleurer. Oh, et puis zut ! Il n'allait pas s'inquiéter à l'avance. Pour l'instant, il s'amusait, et c'était le principal.

Pour une fille, Liza était vraiment *cool.* Elle n'avait pas peur de salir ses vêtements et n'avait pas hurlé de frayeur quand ils avaient découvert un lézard mort, dans la cour, quelques minutes auparavant. Elle l'avait même ramassé à mains nues. Maintenant, ils creusaient un trou pour l'enterrer.

Une fois la tâche terminée, Liza se redressa et déclara, tout en brossant ses genoux maculés de terre :

— Allons visiter la maison ! Je veux voir l'ancienne chambre de ma mère.

— Je n'ai pas envie d'entrer. Ce doit être rasoir à l'intérieur, il n'y a rien à voir. Je crois que personne n'a jamais habité dans cette maison.

— Bien sûr que si ! Ma mère y a habité.

A cet instant, Tommy étendit les bras et franchit une branche comme un équilibriste. Il effectua même un petit bond pour prouver qu'il n'avait pas peur et retomba agilement sur la branche.

— Qu'est-ce que tu en sais ? Elle a peut-être inventé cette histoire, suggéra-t-il.

Liza fronça les sourcils et répliqua :

— Tu veux dire qu'elle m'aurait menti ? Ma mère ne ment jamais.

Tommy éclata de rire.

— Les mères mentent tout le temps ! Ne le sais-tu pas encore ?

— Pas la mienne !

— On parie ? Quand tu es malade, par exemple, je suis sûr qu'elle te dit que le sirop pour la toux, c'est délicieux.

Liza croisa les bras sans répondre et Tommy comprit qu'il avait visé juste.

— Et elle prétend probablement que tu ne grandiras pas si tu ne manges pas de légumes verts ? poursuivit-il, implacable.

— Ça, elle a raison, affirma Liza. Les légumes verts, c'est plein de vitamines bonnes pour la croissance.

— Jack m'a dit qu'il n'en avait jamais mangé et regarde comme il est grand et fort !

Liza réfléchit quelques secondes, l'air ennuyé, puis elle déclara :

— Ce ne sont pas de *vrais* mensonges. Ce sont juste de tout petits mensonges.

— Ben, voyons ! dit Tommy en roulant des yeux.

Il s'assit à califourchon sur la branche avant de se baisser pour ramasser deux petites branches, par terre, en guise de guidon, afin de faire mine d'être à moto.

— Je parie qu'elle t'a aussi menti sur un autre sujet. Sur ton père, par exemple.

Liza parut furieuse et, sur le moment, il regretta d'avoir abordé un tel sujet. Il aimait bien être l'ami de Liza. Elle était sympa, un peu comme une sœur. Quelquefois, il aurait voulu avoir des frères et sœurs. Autour de lui, ses camarades en avaient. Et, à défaut, ils comptaient, dans leur entourage proche, des cousins, des oncles, des grands-parents. Un père aussi. Quand on avait juste une mère, on se sentait un peu marginalisé. C'était comme jouer au football sans équipe.

— Je ne sais rien sur mon père, répondit froidement Liza, à part qu'il est mort avant ma naissance.

— Ça, c'est ce que ta mère t'a dit.

Liza se saisit de la branche sur laquelle il se tenait et se mit à la secouer furieusement. Bien qu'il ne veuille pas passer pour un couard, il laissa tomber son prétendu guidon et se retint des deux mains à la branche pour ne pas tomber.

— C'est vrai ! rugit Liza. Pourquoi est-ce que ce serait faux ? Tu ne sais rien du tout.

— Les mères mentent toujours au sujet des pères quand ils sont absents. Ma mère aussi me ment. Elle m'a dit que mon père ne pouvait pas vivre avec nous. Va savoir ce que cela veut dire…

Liza avait cessé de secouer la branche. Elle le regarda avec gravité et demanda :

— Qu'est-ce que tu crois que cela veut dire ?

Il haussa les épaules.

— Bah ! Sûrement qu'elle a couché avec un homme sans être mariée et qu'ensuite il n'a pas voulu l'épouser.

Bien qu'il ait cherché à la provoquer, il fut perturbé par l'air horrifié qu'il avait fait naître sur le visage de Liza. Il aurait donné n'importe quoi, même son jeu vidéo préféré, pour ne pas avoir prononcé le mot « couché » devant elle.

Prenant son expression la plus blasée, il se dépêcha d'ajouter :

— De toute façon, qu'est-ce que cela peut faire ? A mon avis, c'était soit Jack, soit cet imbécile de Ross.

Cette fois, Liza en resta bouche bée.

— Vraiment ? finit-elle par dire. Tu penses sincèrement que Jack est ton père ?

Tommy se sentit mal à l'aise. Liza avait prononcé le mot « père » avec trop de respect, comme le mot « seigneur », dans une prière. Pourquoi avait-il abordé ce sujet avec elle ? Il avait voulu faire son petit malin, être plus *cool* qu'elle qui ne savait rien sur rien. Et, maintenant, il se sentait idiot. Vraiment idiot…

— Lui ou Ross, je ne sais pas.

Il s'efforça de prononcer le prénom de son entraîneur sans émotion, car, au fond de lui, il aurait préféré que ce soit Ross, même s'il tenait toujours des propos plus durs contre le petit ami de sa mère. Une façon de cacher ses sentiments et de se protéger, en cas de déception.

— Qu'est-ce que cela peut faire ? poursuivit-il. Puisque ni l'un ni l'autre ne veulent l'admettre…

— Oh, Tommy ! articula Liza d'une toute petite voix, les yeux étincelants de larmes.

Il voulut se moquer d'elle, mais il ne parvint pas à rire. Lui-même commençait à redouter que les larmes ne lui montent aux yeux.

— Parlons d’autre chose, décida-t-il. C’est une conversation idiote. Et je te préviens, ne répète à personne ce que je viens de te dire.

— Je te jure que non.

Liza baissa les yeux et contempla le sol pendant un long moment. Quand elle releva la tête, elle avait un air triste et des larmes striaient ses deux joues.

— Moi aussi je vais te confier un secret, reprit-elle. Ainsi, nous serons quittes. Mais tu dois me promettre que tu ne te moqueras pas de moi.

— Promis.

Elle hésita puis, relevant bravement le menton, se lança :

— C’est à propos de ma planète imaginaire.

— Ah ! dit-il d’un air désabusé.

— Tu ne connais même pas l’histoire, je t’assure qu’elle est palpitante ! En ce moment, le roi Chantsaule...

— Celui que tu as dessiné tout à l’heure ? Celui qui ressemble à Jack ?

— Exact ! Eh bien, le roi Chantsaule s’est égaré dans des grottes glaciaires et la planète Cuspiane est sur le point d’être conquise par les Roudeboue, qui ont projeté un rayon fatal sur la première lune dorée.

Malgré lui, Liza avait éveillé son intérêt.

— Qui sont les Roudeboue ? Des monstres, j’espère ? Ton histoire ne peut pas être très palpitante si ce ne sont pas des monstres.

— Si tu m’interromps toutes les cinq minutes, je ne te raconte rien du tout.

Devant la menace, il préféra se taire, car il mourait d’envie d’en apprendre davantage sur les Roudeboue. Faisant mine de bâiller — il ne devait pas montrer un intérêt trop manifeste —, il s’appuya contre le tronc de l’arbre.

— Très bien ! Parle-moi de cette fameuse planète.

*
* *

Molly examina l'expérience de botanique d'un élève qui concourait pour le prix de la science. Il s'agissait de jeunes plants de cresson enveloppés dans du coton humide. L'ensemble était censé démontrer les effets de la sécheresse sur les racines en profondeur. Pour un élève du cours moyen, c'était plutôt réussi, mais elle savait qu'à Radway on ne se contentait pas de créations simples.

Elle passa au projet suivant, une tentative ambitieuse en vue de sauver la couche aquifère, avec à l'appui des graphiques créés sur ordinateur et regorgeant de couleurs. Elle regarda le nom inscrit en haut du triptyque : il s'agissait de l'œuvre de Junior Caldwell. Même selon les critères élevés de Radway, la réalisation était étonnante. Nul doute que Junior était un prodige des sciences.

Elle se le représenta aisément, en partie à cause des descriptions de Liza, en partie à travers le petit texte qu'il avait rédigé sur son expérience. Le vocabulaire était un rien pompeux. C'était un jeune garçon brillant, mais certainement un peu guindé, avec des lunettes épaisses et des pantalons en Tergal bleu marine.

Pauvre Junior ! Pas étonnant qu'il déteste Tommy Cheatwood, physiquement aux antipodes de lui.

Cool, aurait dit Liza.

— Qu'en pensez-vous ? Qui a mérité le premier prix ? demanda Janice Kilgore en venant se placer juste derrière Molly pour regarder par-dessus son épaule. Ne me dites pas que vous comptez l'attribuer à Junior. S'il remporte encore un prix au concours de la science, il ne va plus avoir un seul ami à Radway

Molly sourit à la directrice adjointe qui l'avait appelée le matin même en catastrophe pour requérir une faveur de sa part. L'agronome qui devait juger les travaux et décerner les prix du concours de la science, cette année, avait la grippe. Molly voulait-elle bien le remplacer au pied levé ?

Elle avait accepté, en dépit de tout le travail qu'elle avait sur la planche, à Everspring. Comment décevoir Janice Kilgore, qui était si sympathique ?

— Je n'ai encore rien décidé, lui répondit-elle. Les projets sont tous aussi réussis les uns que les autres. Difficile de trancher.

A cet instant, une femme chargée de deux caisses, l'une illustrant un volcan en éruption, l'autre une fourmilière, s'avança vers elles.

— Ellen, je vous présente Molly Lorring, la mère de Liza, s'exclama Janice. Molly, voici notre bibliothécaire, Ellen Fowler.

— Ravie de faire enfin votre connaissance ! déclara cette dernière. Liza est une enfant formidable. Je tenais également à vous rencontrer pour une autre raison : autrefois, j'étais une grande admiratrice de votre mère. C'est elle qui m'a donné l'envie de devenir libraire.

Son enthousiasme surprit Molly. S'il était vrai que sa mère avait tenu la bibliothèque publique de Demery pendant vingt-cinq ans, elle n'aurait jamais cru qu'elle aurait laissé un souvenir si marquant.

— Vraiment ? répliqua-t-elle. Et comment se fait-il que vous l'aimiez tant ?

— Elle a été très gentille avec moi à un moment de mon existence où j'étais extrêmement malheureuse. J'avais treize ans, et mes parents étaient en train de divorcer. Votre mère me comprenait sans que j'ai besoin de lui expliquer quoi que ce soit. Elle m'avait pris sous son aile, me permettant de devenir officieusement son assistante...

Un beau sourire éclaira son visage.

— ... Je crois que depuis j'ai toujours associé la paix et la tranquillité d'âme aux bibliothèques.

— Allons, ma chère, intervint Jan, on ne parle plus de bibliothèques aujourd'hui, mais de médiathèques. Et il n'y règne pas toujours le plus grand calme. Mais... quelle est cette horrible odeur ? Oh non ! Ne me dites pas que le volcan de Mason Stewart est encore en éruption !

En toussotant, Janice s'éloigna du nuage de fumée qui émanait du cône d'argile censé représenter le volcan, laissant Molly seule avec la bibliothécaire.

— Jan a raison, commenta Ellen. De nos jours, il y a davantage d'ordinateurs que de livres dans les bibliothèques. C'est un peu déprimant. Dites-moi plutôt comment va votre mère, ma chère Molly.

— Bien. Elle s'est remariée avec un homme charmant, qui adore voyager, de sorte qu'ils sont rarement chez eux.

— C'est formidable ! Je parie qu'elle a déjà visité le Grand Canyon, dit Ellen, les yeux pétillants.

Molly éclata de rire.

— Exact ! Comment le savez-vous ?

— Votre mère en rêvait, elle me montrait toujours des ouvrages sur le Grand Canyon. Pour elle, c'était l'endroit le plus fantastique de la terre. Elle était fascinée par l'idée du Far West. Je crois qu'elle se sentait un peu à l'étroit à Demery.

Molly ne savait trop que répondre face à ce portrait de sa mère. Devinant sa gêne, Ellen lui toucha gentiment le bras et ajouta :

— Et vous, comment allez-vous ? J'ai été surprise d'apprendre que vous étiez revenue à Demery. Surtout à la plantation Everspring...

Elle s'interrompit et, sentant qu'elle avait bien involontairement manqué de tact, elle précisa :

— C'est une si petite ville ! A moi, elle me convient parfaitement, mais je gage que, vous, vous êtes comme votre mère, vous préférez les grands espaces.

— Je ne suis là que pour quelques mois, répondit Molly. Pour réaménager les jardins de la plantation.

— Ah bon ? s'exclama Ellen, surprise. Liza a pourtant dit à sa maîtresse que vous alliez vous installer ici. Elle a même affirmé que vous vouliez acheter un chien, puisque vous n'alliez plus vivre en appartement.

Molly ressentit un léger vertige. S'installer à Demery ? Quelle était cette nouvelle fantaisie ? Les rêves de Demery avaient-ils supplanté ceux de la planète Cuspiane, dans l'imagination de sa fille ? Se prenait-elle déjà pour la princesse du château Everspring ? Et cette histoire de chien... Cela faisait des années que Liza n'avait pas réclamé un chien comme compagnon de jeux.

Qu'il allait être cruel de la décevoir ! C'était pourtant inévitable. Dans deux mois, trois au plus, elles repartiraient pour Atlanta, dans leur spacieux appartement au huitième étage d'un immeuble fort chic, un lieu d'habitation qui jusque-là convenait tout à fait à Liza.

Evidemment, comparé à Everspring... De quelle façon allait-elle expliquer à sa fille qu'Everspring n'était pour elles qu'une autre planète imaginaire ?

— Je crains qu'elle n'ait mal compris, déclara-t-elle aussi calmement que possible. J'ai un cabinet de paysagiste à Atlanta. Mon associée en assume seule la gestion en mon absence, mais je dois impérativement être de retour au printemps.

— Je comprends, dit Ellen sur un ton professionnel, pour masquer sa gêne face à ses déductions hâtives. Les enfants sont étonnants, n'est-ce pas ? On ne sait jamais ce qu'ils pensent réellement.

— C'est un malentendu. J'en parlerai avec Liza.

— Il n'empêche que de nombreuses personnes vont être déçues. Votre mère avait beaucoup d'amis ici et ils auraient été ravis de vous revoir parmi eux. Qui plus est, vos talents de paysagiste nous auraient été précieux.

Une heure plus tard, le premier, le deuxième et le troisième prix de la science avaient été attribués et les rubans fixés aux boutonnières. Molly put enfin se diriger vers sa voiture. Bien qu'il soit tout juste midi, elle se sentait étrangement lasse. Elle ne cessait de penser à sa conversation avec la bibliothécaire.

Pour le bien de Liza, Molly devait-elle envisager de rester ? Ellen Fowler lui avait fait comprendre que la communauté la soutiendrait dans ce projet. L'amitié que les habitants de Demery éprouvaient pour sa mère, autrefois, se répercuterait sur elle…

Allons, c'était ridicule ! pensa-t-elle en s'efforçant de se ressaisir. Et pourtant…

Elle devait bien admettre qu'en dépit du passé, et malgré les dix années à Atlanta où elle avait construit sa vie, elle avait tout de suite eu l'impression, en arrivant à Demery, de retrouver son foyer. Elle en appréciait les rues étroites et bordées de chênes, les villas d'avant la guerre de Sécession, et l'artère principale, si pittoresque. Elle aimait la façon dont le printemps déployait ses douces senteurs, en Caroline du Sud — sans que les gaz d'échappement d'un million de voitures n'interfèrent…

Et puis le tissu social étroit qui liait la communauté était si rassurant ! En trois semaines, elle avait immédiatement été réintégrée. D'abord le projet pour le parc, puis le concours de la science de Radway. On avait confiance en ses compétences et son jugement. De son côté, Liza s'était fait des dizaines d'amis, et elle avait été invitée à rejoindre le groupe de scouts de la ville. Hier, Molly avait elle-même rencontré une ancienne amie d'école, à l'épicerie, et elles avaient prévu de dîner ensemble le vendredi suivant pour évoquer le bon vieux temps...

Assez ! s'ordonna-t-elle. Aussi tentante que pouvait être la nostalgie de la patrie perdue, elle devait résister. Si Demery possédait tout le charme d'une petite bourgade du Sud, elle en contenait également tous les dangers. La société n'oubliait jamais rien ; elle était animée d'une curiosité sans borne, qui ne respectait pas la notion d'intimité. Combien de temps faudrait-il pour qu'on se mette à recenser les hommes qui l'invitaient au restaurant, puis à rouvrir les cicatrices du passé ? Combien de temps pour que l'on se mette à spéculer sur le père de Liza, voire à enquêter ?

Non, elle ne pouvait pas rester ici, même si sa fille le désirait très fort. Elles partiraient en avril, comme cela était prévu. Elles resteraient jusqu'à l'arrivée du printemps et l'éclosion des azalées. Jusqu'à l'inauguration du pavillon dédié à Remi. Pas au-delà. Elle ne serait plus à Demery lorsque les lys orientaux y déploieraient leurs belles fleurs rose foncé, ourlées d'un trait blanc.

Forte de cette résolution, elle accéléra le pas au point qu'elle faillit ne pas voir la passagère assise dans une Sedan verte, à deux voitures de la sienne. Néanmoins, la musique rock qui s'échappait par la fenêtre ouverte attira son attention.

C'était Annie. Manifestement, elle non plus ne l'avait pas vue, complètement absorbée par la musique, ses cheveux lui tombant comme un rideau devant les yeux. Elle battait la mesure en tapotant le volant avec ses doigts. Le tableau était un peu déroutant.

— Annie..., commença-t-elle, vaguement inquiète, tout va bien ?

Lorsque la jeune femme releva les yeux vers elle, Molly comprit qu'elle avait pleuré. Ses yeux étaient rougis et gonflés. Pourtant, elle répondit sur un ton faussement désinvolte.

— Oui, merci. Tout va bien. J'ai la pêche !

— Qu'est-ce que tu fais dans ta voiture ? Es-tu venue chercher Tommy pour déjeuner ?

— C'est ça ! répondit Annie de la même façon, avant de passer une main dans ses cheveux et de laisser éclater sa colère : En fait, je suis en train de me demander si je ne dois pas retirer Tommy immédiatement de l'école pour l'inscrire dans un pensionnat.

Molly hésita, puis ouvrit la portière passager pour se glisser à côté de la jeune femme.

— Est-ce à cause de la bagarre avec Junior Caldwell ? J'avais l'intention d'en discuter avec toi. Liza m'a tout raconté, ce n'est pas la faute de Tommy.

— Oh, ça, c'est de l'histoire ancienne ! fit Annie d'un air désabusé. Non, aujourd'hui, il y a un *nouveau* problème. Tommy prétendait qu'il travaillait sur son projet de sciences naturelles à l'école, après les cours. Or, sa maîtresse m'a appelée ce matin, pour me signaler qu'il n'avait rien présenté du tout.

— Oh, je suis désolée.

Effectivement, elle n'avait pas vu le travail de Tommy, aussi en avait-elle déduit qu'il avait concouru dans une autre catégorie.

— Tu veux que je te dise ce qui est le pire de tout ? soupira Annie. Dès l'instant où je vais mettre le pied dans cette fichue école, tout le monde va me faire la leçon à *moi*. Me répéter sur tous les tons que Tommy a besoin de davantage de discipline et de structure. Comme si je ne comprenais pas ce qu'ils veulent me dire ! Comme si je ne savais pas qu'ils pensent que tout est *ma* faute.

Molly voulut protester, mais, au fond de son cœur, elle savait qu'Annie avait raison. Il n'était pas facile d'être une mère célibataire.

— Parfois, je me dis qu'il serait mieux dans une école publique. Au moins, on me ficherait la paix et on ne me stigmatiserait pas comme une Martienne parce que tout n'est pas parfait à la maison.

— Ce n'est pas une idée absurde. A Atlanta, Liza est inscrite dans une école publique qui est tout à fait convenable.

C'était l'heure de la récréation et, de la voiture, elles pouvaient apercevoir les élèves en uniforme qui sortaient en rangs de la classe. Il était vrai qu'il régnait une atmosphère élitiste, ici. L'école comptait peu d'enfants issus de foyers monoparentaux. Et la petite Sedan d'Annie était la seule voiture d'occasion, sur le parking.

— Tu as raison, admit cette dernière, mais je crois que je suis trop entêtée pour laisser ces snobs avoir le dernier mot.

Molly haussa les épaules. Que répondre ? Elle-même s'était interrogée plusieurs fois sur le bien-fondé d'inscrire Liza à Radway, eu égard au peu de temps qu'elles allaient séjourner à Demery.

Car, si toutes les générations de Forrest étaient passées par Radway, elle-même n'avait jamais fréquenté l'établissement. Pas plus qu'Annie d'ailleurs. L'école publique, c'était tout ce que leurs parents pouvaient se permettre.

D'ailleurs, si Lavinia n'avait pas été si généreuse lors de la signature du contrat, elle n'aurait pas pu se permettre d'inscrire Liza à Radway. Et, si elle était honnête avec elle-même, c'était une façon de se prouver qu'elle valait aussi bien que les Forrest. Evidemment, ce n'était pas une raison très louable… Enfin, celle d'Annie n'était pas plus glorieuse. Mais sincère ! Voilà pourquoi elle ne pourrait jamais revivre ici. Il y avait trop de choses à prouver et trop, bien trop à oublier.

Elle se demanda comment Annie s'y prenait pour régler les frais de scolarité de Tommy, avec son modeste salaire de vendeuse. Peut-être Jack Forrest lui avait-il donné un coup de pouce…

Annie sembla d'un seul coup, recouvrer sa bonne humeur habituelle.

— Je suis bien trop entêtée, je sais, dit-elle. Toi et moi venons de l'école publique, et nous n'en sommes pas mortes.

Lui adressant une œillade entendue, elle ajouta en éclatant de rire :

— Bien sûr, nous ne sommes pas des partis très convenables, et aucun prince charmant ne voudrait de nous…

Molly ouvrit la bouche, prête à réciter sa prétendue histoire d'amour avec un mari adorable, décédé avant la naissance de Liza.

Mais elle croisa le regard franc d'Annie et les mots restèrent coincés dans sa gorge.

A quoi bon mentir ? Annie savait. Son regard était suffisamment évocateur. Aussi se contenta-t-elle de répondre :

— Je ne pense pas que nous devions blâmer l'école publique pour notre statut de mère célibataire, Annie.

— Tu as raison, convint celle-ci en montant le son de la radio qui passait un tube de Melissa Etheridge. Nous devons blâmer les regards trop verts, les clairs de lune trop brillants, et l'incroyable stupidité des adolescentes…

8.

Le dîner n'avait pas encore commencé. Néanmoins, aucun des invités rassemblés sur la terrasse d'Everspring ne paraissait s'en formaliser.

C'était une belle soirée, qui portait en elle la promesse d'un printemps spectaculaire, à un souffle de l'hiver. Des écharpes lavande et orangées déroulaient leurs volutes majestueuses dans le ciel. A l'est, le coucher de soleil teintait d'ocre les murs clairs de la plantation. Une légère brise animait le tout, et la température était assez douce pour que l'on puisse rester en pull-over.

Deux vieilles amies de Lavinia, à la chevelure blanche comme neige et à la bonne humeur communicative, jouaient tranquillement à la canasta autour d'une table en osier, dans un angle de la véranda. Ce nouveau jeu faisait fureur parmi les amis de Lavinia. Les deux femmes avaient invité Jack à se joindre à elles, mais il avait gentiment décliné la proposition, préférant se reposer sur la balancelle…

Liza était pour sa part absorbée par une activité de première importance sur la planète Cuspiane, à savoir initier Stewball à l'art subtil de la chasse aux Roudeboue. Les deux complices rôdaient furtivement autour de la véranda et le chien poussait de temps à autre des aboiements étouffés, se prenant visiblement au jeu.

En grande discussion, Molly et Lavinia se tenaient en haut des marches. Le matin même, cette dernière avait décidé de modifier le toit du belvédère dont la construction avait déjà commencé.

Toutes deux s'étaient entendues sans problème sur l'emplacement du belvédère, c'est-à-dire à la place laissée vacante par le chêne abattu. Sa structure suscitait en revanche une discussion animée entre les deux femmes.

— Le toit doit être ouvert, maintenait Lavinia. Prévois des poutres transversales si tu en as envie, cela m'est égal, mais je veux absolument que l'on puisse admirer les étoiles, de l'intérieur.

— Il est important de protéger le belvédère de la pluie, argua Molly. En outre, dépourvu de toiture, il manquera d'assise. Vu de la maison, il aura beaucoup moins de caractère.

— Tant pis ! Je tiens absolument au toit ouvert.

— Sois réaliste, Lavinia ! Pour apercevoir les étoiles de l'intérieur, il faudrait s'allonger sur les sièges…

— Pourquoi pas ? Bon sang, Molly, pour une jeune Américaine, tu n'as décidément aucun sens du romantisme.

A ces mots, les deux joueuses de canasta, Grace Pickens et Evelyn Carole, éclatèrent de rire et Molly se sentit rougir. Toutes deux arboraient une soixantaine élégante et soignée, mais affichaient une même petite faiblesse : elles adoraient les whiskys à la menthe. Depuis une heure, elles vidaient un verre après l'autre, de sorte que leur conversation devenait de moins en moins convenue…

— Lavinia Forrest, commença Grace sur un ton mi-amusé, mi-sévère, si tu nourris encore l'illusion qu'un homme voudrait t'étreindre dans le belvédère, je crois qu'il te faut…

— Je ne parlais pas de moi ! la coupa Lavinia en relevant fièrement le menton. La plantation d'Everspring existe depuis deux cents ans et il est fort probable qu'elle ait encore deux autres siècles devant elle. Est-il réellement insensé de penser que, pendant tout ce temps, elle pourra abriter une ou deux histoires d'amour ?

Là-dessus, elle émit un petit sifflement vexé, puis tourna le dos à Grace afin de poursuivre sa conversation avec Molly, comme si elles n'avaient pas été interrompues.

— Le vieux chêne occupait une place centrale dans la plantation, et exerçait une sorte d'attrait comme lieu de rendez-vous. Peut-être l'ignorais-tu, mais, de ma chambre, je pouvais le contempler et savoir ce qui se tramait, à l'ombre de ses branchages.

— Je l'ignorais, effectivement.

— Or, si je ne me trompe pas, toi aussi tu as admiré les étoiles à travers ses vieilles branches, autrefois...

— Oh, oh, fit Grace en pouffant de rire. Qui te conduisait sous ce cher chêne pour te montrer les étoiles, ma petite Molly ? Remi ou Jack ? A moins que ce ne soient les deux !

La vieille dame émit un claquement de langue avant d'ajouter :

— Voilà qui ferait une romance comme Lavinia en rêve certainement ! Les deux ! Ah, ah...

Molly regarda en direction de l'endroit où se trouvait Liza. Que penserait la fillette en entendant de tels propos ? Heureusement, elle était à l'autre bout de la véranda, hors de portée de voix, occupée à susciter un regain d'intérêt chez Stewball qui en avait assez de pourchasser des Roudeboue.

— Eh bien, je...

Avant que Molly n'ait le temps de se justifier, Jack se redressa sur la balancelle et commenta, sur un ton amusé :

— Désolé de vous retirer vos illusions, ma chère Grace, mais qu'est-ce qu'une jeune fille aussi convenable que Molly aurait bien pu faire avec un mauvais garçon comme moi ?

Grace leva les yeux au ciel, puis déclara en affectant une mine navrée :

— Jeune homme, je refuse de répondre à une telle question !

Molly adressa un sourire reconnaissant à Jack. C'était adorable de sa part d'éluder aussi habilement le vieux commérage qui menaçait de refaire surface.

— Il conviendrait plutôt de se demander pourquoi un garçon de la trempe de Jack aurait perdu son temps en compagnie d'une jeune fille aussi insignifiante que je l'étais à l'époque, renchérit-elle.

— Les deux questions sont également ridicules, décréta Grace en mélangeant ses cartes. Lavinia, sais-tu pourquoi les jeunes gens sont si stupides, de nos jours ?

— C'est ce qu'on appelle la modestie, répondit Lavinia d'un ton laconique. Cela existait aussi à notre époque, même si tu ne t'en es pas aperçue.

— La modestie est un poison aussi fatal que l'ennui, déclama Grace. Au même titre que les stéréotypes, d'ailleurs. Si tu veux mon avis, Jack n'était pas aussi turbulent qu'il s'en donnait l'air. Et Remi n'était pas un saint non plus.

La vieille femme secoua lentement la tête, fixant son verre vide, visiblement ennuyée qu'il ne contienne plus de whisky. Puis elle ajouta :

— Non, il était loin de l'être, même si c'est l'image officielle que Demery, et notamment toi, Lavinia, veut donner de lui, ton fameux pavillon à sa mémoire en étant la dernière preuve en date.

Inconsciente de la stupéfaction muette que ses paroles semaient autour d'elle, Grace s'éclaircit la gorge et fixa ses cartes d'un air maussade avant d'enchaîner :

— Lors du scandale lié au club de golf, n'était-ce pas Remi le coupable ? Il n'a jamais été puni, si je me souviens bien. Le père de Molly, en revanche, a été congédié.

— Grace..., commença Lavinia sur un ton de reproche.

— Non, ce n'était pas un saint, insista Grace. Oh, bien sûr ! Il était séduisant à se damner, mais il avait la beauté du diable.

Molly se raidit. C'était la première fois que l'on évoquait Remi en des termes si désobligeants devant elle. Cela lui procura de curieux frissons à la naissance de la nuque.

— Grace, ma chère, déclara Lavinia avec une lenteur menaçante, je crains que tu n'aies abusé de whisky.

La joueuse leva alors distraitement le nez de ses cartes et demanda avec désinvolture :

— Ah bon ? Aurais-je tout confondu ? Est-ce toi, Jack, qui avais dérobé l'argent du coffre ? Je n'ai jamais été capable de vous différencier, toi et lui.

— Peu importe ! décréta Lavinia d'un ton impérieux. Tout cela, c'est de l'histoire ancienne, et, qui plus est, il s'agit d'une histoire ennuyeuse à souhait. Je commence à avoir faim. Nous pourrions songer à passer à...

— Mlle Pickens ! la coupa Molly.

Aussi honteuse soit-elle à cause de l'allusion à son père, aussi choquée avait-elle été de découvrir que tout le monde était au courant, à Everspring, elle ne pouvait pas accepter que la mémoire de Remi soit entachée. Non, elle ne pouvait tolérer que lui ou Jack endosse la responsabilité de fautes commises par son propre père.

— Mlle Pickens, reprit-elle sur un ton plus contenu, Jack et Remi n'ont rien à voir dans l'affaire. D'ailleurs, Jack ne faisait même pas partie du club de golf, puisqu'il détestait ce sport. Il est vrai que mon père a été renvoyé parce qu'il manquait de l'argent dans les caisses du club et, bien qu'il ait toujours affirmé qu'il n'était pas fautif, il n'a jamais pu prouver son innocence.

Grace contempla un instant son verre vide, puis, relevant lentement la tête, elle déclara d'un ton chagriné à Lavinia :

— Je suis désolée. Je... Je ne sais pas quoi dire...

— Dans ces conditions, ne dis rien, lui conseilla son amie d'un air sombre. C'est une excellente stratégie que tu devrais adopter plus souvent.

Molly l'avait forcément entendu. Il avait signalé son arrivée en descendant les marches d'un pas lourd, afin de ne pas la prendre par surprise. Pourtant, elle ne se retourna pas. Aussi immobile qu'une statue, elle fixait les pelouses qui s'étendaient en terrasses, au-delà de la véranda.

— On m'a prié de venir te chercher pour dîner, lui dit Jack d'un ton résolument léger. J'ai de bonnes nouvelles : Lavinia et Liza sont parvenues à consoler Consuelo, dont la casserolée de patates douces avait brûlé ou s'était transformée en une purée de grumeaux, je ne sais plus très bien. Enfin, une tragédie de ce genre... Toujours est-il que notre chère cuisinière a eu le courage de surmonter son échec et, apparemment, nous allons enfin pouvoir dîner, ce soir.

Molly ne réagit pas, mais il vit un frisson secouer ses épaules. Bon sang ! Etait-elle en train de pleurer ? Il enfonça résolument ses mains dans ses poches pour se retenir de l'enlacer. On pouvait les apercevoir du salon, et il préférait être maudit plutôt que d'alimenter les commérages de Grace Pickens.

— Ne te préoccupe pas des propos de cette vieille mégère, reprit-il pour la réconforter. Elle est moitié ivre, soixante-dix pour cent sénile et cent pour cent éhontée.

— Peut-être, murmura Molly d'une voix étrangement rauque, sans se retourner. Mais a-t-elle réellement tort ?

Il n'aurait pas dû hésiter l'ombre d'une seconde, il aurait dû nier farouchement au moment où Grace avait parlé. Car il était certain que Molly lui poserait cette question. Il l'avait pressenti à la façon dont elle avait regardé Grace Pickens, tout à l'heure : avec méfiance, dédain, et non sans effroi.

Quant à lui, cela faisait vingt minutes qu'il se demandait ce qu'il allait lui répondre lorsqu'elle l'interrogerait à ce sujet. Son hésitation allait finir par faire office d'aveu. Rassemblant tout son courage, il répondit :

— Grace Pickens est une incorrigible fouineuse, qui n'hésite pas ramasser les miettes de commérage qu'elle trouve dans le caniveau. Et, quand le résultat ne la satisfait pas, elle brode !

A ces mots, Molly se retourna lentement vers lui. Elle s'efforçait de lui sourire, mais, comme il le redoutait, ses yeux brillaient de larmes ; le clair de lune leur prêtait une beauté toute particulière. A la fois grave et imposante.

— Tu n'as toujours pas répondu à ma question, Jack. Ce qu'elle a dit sur Remi, sur mon père, était-ce vrai ? Y avait-il une part de vérité dans ses propos ?

Mentalement, Jack envoya Grace Pickens au diable.

— Qui sait, Molly ? A combien de temps remonte l'affaire ? Douze ans ? Je me souviens que Lavinia était suspicieuse, à l'époque. Elle avait trouvé de l'argent dans la chambre de Remi dont il ne pouvait expliquer la provenance. Mais Remi n'a jamais rien avoué.

— Pas même à toi ?

— Non, pas même à moi. D'ailleurs, je n'ai entendu parler de cette histoire que bien plus tard. Je n'étais pas à Demery, cet été-là, tu ne t'en souviens pas ?

Naturellement, elle ne s'en souvenait pas, pensa-t-il avec un brin d'amertume. Cela ne la préoccupait pas du tout à l'époque de savoir où il pouvait bien se trouver, dès l'instant où Remi était avec elle...

— Quand je suis rentré à la maison, poursuivit-il, l'affaire avait été réglée. Ton père avait un nouvel emploi...

— Grâce au concours de Remi ! le coupa-t-elle. Etais-tu au courant que Remi l'avait aidé à retrouver un poste ?

— Oui, je sais, admit-il. Comme manager du club des jeux aquatiques.

— Mon père adorait ce travail et il affirmait toujours que, sans l'intervention de celui qu'il appelait le héros local du football, on ne l'aurait jamais engagé. Tu vois bien que les suspicions de Lavinia étaient infondées. Remi n'aurait pas pris la peine de trouver du travail à mon père s'il avait été responsable de son licenciement initial.

Face à tant de naïveté, face à cet aveuglement volontaire pour conserver intacte la mémoire de Remi, comment allait-il pouvoir demeurer impassible ?

En silence, il se mit à maudire son frère, qui ne méritait pas une telle loyauté. Pourtant, Remi n'avait jamais réellement cherché à tromper son monde, il savait juste tirer son épingle du jeu en toute circonstance.

Dix ans après sa mort, sa victoire était complète.

— Qu'y a-t-il ? demanda Molly en lui touchant le bras. Tu as l'air bouleversé. Est-ce à cause de ce que j'ai dit ?

— Non, protesta-t-il hâtivement.

La tentation était grande de faire voler en éclats la confiance innocente qu'il lisait sur le beau visage de Molly en lui assénant quelques vérités bien senties. Oui, il était terriblement tentant de détruire les temples qu'elle avait érigés à la mémoire de Remi, afin d'éclaircir l'horizon... et de s'y profiler.

Il en avait assez d'attendre que ces fichus sanctuaires s'écroulent sous leur propre poids, car cela arriverait-il jamais ? Molly semblait les chérir plus que tout.

— Qu'y a-t-il, Jack ? répéta-t-elle en se rapprochant de lui.

— Je suis surpris, c'est tout, admit-il d'un ton aussi neutre que possible. On dirait que tu préfères croire que ton père a volé l'argent. Que tu veux garder tes illusions sur Remi à n'importe quel prix — même au détriment de l'honnêteté de ton père. Je ne comprends pas, c'est tout.

— Moi non plus, murmura-t-elle d'un air absent. Vraiment pas...

Elle croisa les bras et se replongea dans la contemplation du paysage. Son mouvement apporta un doux parfum de muguet jusqu'aux narines de Jack. Pourtant, aucune fleur n'était encore épanouie. L'hiver était sur le départ, mais il régnait encore en maître, à Everspring.

— Peut-être est-ce parce que je ne me suis jamais fait d'illusions sur mon père, ou alors, il y a si longtemps que j'ai oublié. Mais Remi...

Sa voix vibrait d'émotion lorsqu'elle ajouta :

— Remi, c'était ma magie. Et j'ai terriblement besoin de croire en cette magie.

Jack ferma les yeux.

— Remi était juste un homme, Molly. Et Grace avait raison sur un point : ce n'était pas un saint. Je présume toutefois que tu le savais.

— Bien sûr ! répliqua-t-elle d'un ton à la fois triste et résigné. Je ne suis pas tout à fait idiote, Jack. Et je ne suis plus une adolescente énamourée. Depuis que je suis revenue à Demery, certains pans du passé se présentent sous un autre jour, pour moi. Je sais que Remi n'était pas parfait. Mais il était… Il est toujours…

Elle se frictionna les bras, frustrée de son incapacité à trouver les mots adéquats.

— Tu vois, pour moi, il sera toujours…

Jack se taisait, tendu, concentré sur sa propre respiration. Molly secoua la tête et conclut :

— Ce que je veux dire, c'est qu'il fera toujours partie de ma vie. Il y a laissé une marque profonde et irrévocable.

La saisissant subitement par le poignet, Jack décréta d'un ton sombre :

— Molly, écoute-moi ! Il faut que tu acceptes de regarder la vérité en face. Remi n'était pas…

— Maman ? Jack ?

Jack se figea tandis que la fenêtre du salon s'ouvrait en grand.

— M'entendez-vous ? Lavinia dit que, si vous ne rentrez pas immédiatement, Consuelo lui donne sa démission.

La voix de Liza, qui flottait vers eux depuis la fenêtre, était gaie et malicieuse. Elle contenait des accents semblables à ceux de Molly, au même âge. Pendant quelques secondes, Jack oscilla entre le passé et le présent… Entre la douce et solitaire petite Molly, qui cueillait de la magie là où elle le pouvait, et la jeune femme sensuelle et courageuse d'aujourd'hui qui s'accrochait désespérément au rêve du grand amour qu'elle avait connu jadis.

Molly tourna un regard confiant vers Jack. Sa chevelure blonde brillait comme de l'or dans le clair de lune.

— Remi n'était pas quoi, Jack ?

Subitement, il comprit qu'il ne lui dirait rien. Qu'il ne pouvait pas lui confier l'horrible vérité, à savoir qu'il ne coulait pas la moindre once de sainteté dans les veines des jumeaux Forrest, autrefois.

— Maman ?

Jack déglutit avec difficulté. Remi et lui étaient de véritables s... Pas un pour racheter l'autre, pensa-t-il avec dégoût. Et, malgré tout, il y avait Liza, une ravissante petite fille dans les veines de qui coulait le sang des Forrest. Un être délicieux qui, par un incroyable miracle, était venu au monde nanti de toute la pureté de sa mère.

Et, en ce qui le concernait, il aurait préféré mourir plutôt que de bouleverser la vie de la fillette.

— Tu comprends pourquoi nous ne pouvons pas rester, n'est-ce pas, ma chérie ? demanda Molly.

Elle reposa le marqueur rouge avec lequel elle venait de dessiner des roses sur le château de la reine Chantsaule, et regarda sa fille d'un air incertain.

— Oui, répondit Liza d'un ton endormi.

Elle était blottie sous la couette et entortillait mollement une mèche de cheveux autour de son doigt — preuve que le sommeil la guettait.

— A cause de tes clients, de notre appartement, poursuivit docilement la fillette. Et puis il y a autre chose aussi... Ah oui ! Robin et Phyllis.

Molly retint un sourire devant le résumé simplifié de ses vingt-cinq minutes d'explications.

— Pas seulement Robin et Phyllis, corrigea-t-elle patiemment, mais *tous* nos amis.

— Hum, convint Liza. Pourtant, je ne manquerai jamais autant à mes amis d'Atlanta qu'à Tommy.

— Pourquoi ? Tommy n'a-t-il donc pas d'autres camarades ? Je croyais que c'était le meneur de la classe.

— Il est très populaire, expliqua Liza d'un ton dédaigneux, mais cela ne veut pas dire qu'il a beaucoup d'amis. Enfin, pas de véritables amis... Personne avec qui il peut réellement discuter.

Se glissant plus confortablement sous la couette, elle ajouta :

— C'est à moi qu'il se confie.

— Il pourra nous rendre visite, argua sa mère.

Molly était soucieuse. D'une certaine façon, la conversation avait été moins pénible qu'elle ne le redoutait. Liza n'avait pas protesté, ne s'était pas plainte, ni ne l'avait suppliée de rester à Demery. Elle s'était contentée d'écouter sa mère avec sa sérénité habituelle. Et, pourtant, Molly avait la curieuse sensation qu'elle n'acceptait pas *réellement* l'irrévocabilité de sa décision. C'était un peu comme si elle écoutait sa mère d'une oreille distraite, persuadée que le destin interviendrait d'une manière ou d'une autre en sa faveur et qu'elles resteraient à Demery.

— Liza, ma chérie, ce sont mes clients qui nous font vivre toutes les deux ; or, ils sont à Atlanta, plaida encore Molly.

La fillette lui adressa alors un petit sourire mystérieux et déclara :

— Tu pourrais aussi avoir des clients ici. Mme Fowler, la bibliothécaire, aimerait que tu refasses les jardins de l'école.

— Ma chérie, ce contrat ne nous rapporterait pas beaucoup d'argent, tu sais. La commune n'est pas très riche.

— Peut-être, mais les habitants de Demery pourraient admirer ton travail et cela te ferait une bonne publicité.

Malgré elle, les paupières de Liza se fermèrent. Molly contempla l'adorable visage de sa fille. Du haut de ses neuf ans, elle semblait avoir une idée bien précise de ce qu'étaient le marketing et les relations publiques. Son cœur de mère se serra d'émotion devant ses cheveux blonds et brillants, ses ongles imparfaits, et ses joues qui portaient des traces de feutre.

— De cette façon, on pourrait avoir un chien comme Stewball, murmura encore Liza dans un demi-sommeil. Un chien chantsaule...

Molly se mit à caresser les cheveux de sa fille. Leur contact doux la rassurait. Liza était sa force. Grâce à elle, elle ne perdrait jamais réellement foi en Remi. Il avait été un enfant gâté, bien sûr. Egoïste parfois. Un peu arrogant, voire manipulateur. Mais jamais cruel. Pas réellement mauvais. Un homme foncièrement mauvais aurait-il pu engendrer une enfant aussi délicieuse que Liza ? Non ! Grace Pickens pouvait bien raconter tous les commérages qu'elle voulait. Tant que la bonté radieuse de Liza se dresserait devant elle comme une preuve infaillible, elle ne cesserait jamais d'aimer Remi.

Elle connaissait des aspects de Remi que même son jumeau — et *a fortiori* cette peste de Grace Pickens — ignorait. Une gentillesse, une certaine douceur...

Lorsqu'il lui avait fait l'amour, cette fameuse nuit, c'était avec un respect et une humilité qu'elle-même ne lui soupçonnait pas jusque-là. Elle avait toujours pensé qu'il serait un merveilleux amant, plein d'ardeur, mais elle ne se doutait pas qu'il ferait preuve d'une telle tendresse.

Quel beau cadeau il lui avait réservé ! Quelle merveilleuse surprise !

Elle aurait tant aimé pouvoir confier son expérience à Jack. Lui faire comprendre que toutes les petites imperfections de Remi, toutes les petites blessures qu'il lui avait infligées au fil des années, oui, tout cela avait été balayé en une nuit.

Mais Jack était la dernière personne à qui elle pouvait faire une telle confidence. D'ailleurs, elle s'autorisait très peu à repenser à sa nuit d'amour. Elle redoutait que les souvenirs ne l'entraînent trop loin du rivage, elle craignait de couler à pic sous les réminiscences trop puissantes de la passion et de ne plus pouvoir refaire surface. De ne plus être en mesure d'accepter l'amour d'un autre homme.

Ce soir, pourtant, les souvenirs affluaient... Etait-ce à cause de Grace Pickens ?

Toujours était-il qu'elle avait besoin de se rappeler.

Doucement, elle déposa le château qu'elle venait de dessiner sur le carnet d'esquisses de Liza et se dirigea vers la fenêtre.

Au passage, elle effleura les trois lunes dorées qui lancèrent des rayons chatoyants dans la chambre. Certains se reflétèrent dans la vitre de la fenêtre. Molly posa alors sa main sur le carreau, et des mouches dorées jouèrent sur ses doigts. Ces éclats d'or lui rappelèrent l'anneau de Remi. La bague des Forrest, qui revenait au fils aîné depuis un siècle.

Elle adorait cet anneau ! Non pour sa valeur, mais pour la stabilité et la permanence qu'il véhiculait. Il signifiait que la famille Forrest avait vécu des guerres et des scandales, avait connu des booms financiers puis des faillites, des naissances et des décès, mais que, en dépit des aléas de la vie, on s'était transmis la bague de père en fils, comme une promesse jamais brisée, un espoir toujours renouvelé…

Où se trouvait la bague, à présent ? Jack ne la portait pas, même si, théoriquement, elle lui appartenait, puisqu'il était devenu le fils aîné.

Remi l'avait-il emportée dans la tombe ? Elle se souvint de la dernière fois qu'elle avait vu l'anneau à son doigt, ses multiples facettes miroitant comme les lunes dorées de la planète Cuspiane. Elle avait pressé la main de Remi contre sa joue, lui demandant pardon, et elle avait senti les feuilles en or sculptées s'enfoncer légèrement dans sa joue toute chaude, à cause des larmes…

Elle avait manqué le perdre, cette nuit-là. Il était vrai qu'à cette époque ils se querellaient chaque fois qu'ils se rencontraient. Toujours à propos des mêmes thèmes. Selon Remi, elle était trop immature, trop naïve. Trop virginale. Ou — quand il était vraiment en colère — trop frigide.

Son mépris lui brisait le cœur. Mais n'était-il pas inévitable ? Il avait vingt-deux ans, c'était un jeune homme riche et séduisant qui venait de décrocher son diplôme universitaire. Elle avait juste dix-huit ans et n'était qu'une petite provinciale encore au lycée.

Oh, il l'aimait ! Il le lui avait répété si souvent et avec une telle éloquence depuis ses quinze ans qu'elle ne pouvait douter de son amour. Néanmoins, Remi était un homme, et, à ce titre, il avait des besoins. Il l'aimait. Il la désirait. Il était donc temps que leur relation évolue.

Cela la terrifiait. L'exemple de sa mère la hantait. Cette dernière s'était retrouvée enceinte très jeune et, au nom de la respectabilité, avait été contrainte d'épouser son père, même si elle savait que ce dernier ne désirait ni se marier ni fonder une famille. Non, ce qui l'intéressait, c'était passer son temps au pub, une bière dans une main, une beauté aux jambes interminables dans l'autre.

Leur mariage avait été une catastrophe. Son père avait fini au fond du gouffre et sa mère pleine de ressentiments. Pendant des années, la crainte de subir le même destin que sa mère avait empêché Molly de succomber à la séduction experte de Remi. Elle requérait sa patience.

Et puis, un soir, elle avait dévié de sa trajectoire.

La soirée avait commencé normalement. Bien que l'idée de passer une soirée en compagnie « d'adolescents » ne l'enchantait que moyennement, Remi avait accepté de l'accompagner au bal de fin d'année du lycée, et elle en était terriblement excitée.

Chaque détail de la soirée était resté gravé dans sa mémoire. Elle portait une robe de soie jaune, et, quand ils dansaient l'un contre l'autre, Remi lui susurrait des mots qu'elle ne parvenait pas à entendre. Alors elle se penchait vers lui, et le tissu de sa robe crissait contre son smoking tout neuf, coulant comme de l'or liquide contre l'étoffe noire…

Il lui avait offert un petit bouquet d'orchidées blanches dotées d'un cœur jaune, exhalant une senteur à la fois suave et lourde. Lorsqu'il l'avait fixé au tissu, sous le nez de ses parents, il avait pris tout son temps, frôlant délibérément avec l'épingle accrochée au bouquet le renflement de sa poitrine soulignée par le décolleté de la robe. L'épingle avait laissé une fine marque blanche sur la peau de Molly et soulevé de petits frissons dans son sillage.

Elle avait emprunté les boucles d'oreilles en topaze de sa mère. Au cours d'un slow, Remi en avait retiré une avec sa bouche, puis il avait regardé Molly, un sourire vainqueur aux lèvres, la topaze entre les lèvres, comme un pirate brandissant son trésor !

Tout le monde enviait Molly, ce soir-là. Remi incarnait le rêve de toutes les filles du lycée, symbolisant ce que les garçons du lycée ne possédaient pas. Il était athlétique, séduisant, charismatique. Il flirtait avec les jolies filles, et, au moment où Molly commençait à devenir nerveuse, il l'invitait à danser. Il l'embrassait alors dans le cou, et lui murmurait qu'il la désirait. Qu'il ne voulait qu'elle.

Mais, à la danse suivante, il en invitait une autre. Qui sait alors ce qu'il lui murmurait à l'oreille ?

De nouveau, la peur avait submergé Molly.

A la fin du bal, elle se sentait particulièrement vulnérable face à Remi et à l'étrange mélange de plaisir et de souffrance qu'il faisait naître en elle. Aujourd'hui, elle voyait clairement ce qu'elle n'avait pas compris jadis : il avait consacré la soirée à préparer sa capitulation.

Il était tellement confiant dans sa technique que, lorsqu'elle s'était de nouveau refusée à lui, il ne s'était pas mis en colère. Il avait choisi une nouvelle stratégie.

Sa parade avait été de l'étouffer sous sa gentillesse. Il s'était excusé pour son insistance. Elle avait besoin d'un garçon de son âge. Tout comme il lui fallait une fille du même âge que lui. Pour son propre bien, il était donc préférable qu'il ne la voie plus.

Lorsqu'il l'avait déposée devant chez elle, elle était en larmes. Elle l'avait supplié, renonçant à toute fierté. Mais il n'avait pas cédé. Pour son propre bien, répétait-il, il devait la quitter. C'était fini entre eux.

Molly avait passé deux heures sur son lit, tétanisée, sentant le parfum éventé des orchidées abîmées et le goût salé de ses larmes. A travers la cloison, elle entendait ses parents se disputer, la colère de son père qui allait crescendo, les sanglots de sa mère. Un schéma si classique qu'il en était devenu un rituel.

Sans Remi, la situation était insupportable. C'était lui qui lui procurait un sentiment de protection, la sensation d'être aimée. Lui qui la persuadait que la vie valait la peine d'être vécue. Sans Rémi, elle ne survivrait pas.

Pourquoi essayer de vivre sans lui ? Tout ce qu'il voulait, c'était une vraie femme qui n'était pas effrayée par l'amour. Qu'à cela ne tienne ! Elle serait cette femme. Cela ne lui faisait plus peur.

La seule chose qui la terrorisait, c'était l'idée de vivre sans lui.

9.

Toujours vêtue de sa robe de soie jaune, Molly s'était éclipsée par la fenêtre de sa chambre située au premier étage, s'agrippant aux branches solides du chêne pour retrouver la terre ferme, direction Everspring. Pour une fois, elle s'était félicitée d'avoir une mère névrosée : grâce au billet de vingt dollars que cette dernière veillait à ce que sa fille ait toujours sur elle en cas d'urgence, elle était en mesure de payer le taxi qui la conduirait à la plantation.

Quand elle arriva sur les lieux, elle ressentit une subite paralysie, comme si elle se réveillait de son état de fugitive sous l'effet de la réalité qui se dressait subitement devant elle. A cette heure-ci, la plantation vous avait des airs de territoire interdit. Elle ressemblait à un mausolée de marbre, éclairé par une lune inquiétante. En outre, il était bien trop tard pour sonner à la porte. Elle ne tenait pas à réveiller Mme Forrest.

Et soudain, tel un miracle, elle repéra le cabriolet rouge de Remi. Il était garé sur l'herbe, à l'ombre d'un chêne imposant.

Comme Molly s'en rapprochait, elle vit que Remi était affalé sur le capot, le visage tourné vers le ciel. Quelques canettes de bière gisaient éparses sur le sol. Remi leva lentement le bras, puis le replia sur ses yeux, comme si la lumière des étoiles lui donnait la migraine et qu'il voulait s'en protéger. A cet instant, Molly aperçut l'anneau des Forrest, brillant de tous ses carats à son annulaire. Un éclat rassurant…

Elle en conçut un vif soulagement. Elle venait de retrouver Remi et, qui plus est, il était seul. Il ne l'avait donc pas réellement quittée, il n'était pas parti en quête d'une autre jeune fille plus consentante. Dieu merci, il n'était pas trop tard !

Elle vola plus qu'elle ne courut vers lui, légère comme un papillon. A son approche, il redressa le torse, clignant plusieurs fois des yeux comme s'il s'était endormi et ne parvenait pas à se réveiller. Ses cheveux étaient en désordre, son regard brouillé par les effets de l'alcool.

— Molly ?

Il voulut se relever entièrement, mais elle arriva à sa hauteur avant qu'il ne soit debout.

— S'il te plaît, attends, lui dit-elle. Attends…

L'agrippant par les épaules, Molly l'empêcha de descendre du capot. Les pieds de Remi se bloquèrent alors sur les garde-boue, de chaque côté d'elle, et il plaqua ses paumes sur la carrosserie, pour garder l'équilibre.

— Molly, que se passe-t-il ? articula-t-il avec difficulté.

— Je suis désolée, lui dit-elle. Terriblement désolée. J'ai eu tort. Tu avais raison.

Elle se tut, ne sachant plus que dire. Elle redoutait les mots, car Remi maniait le langage bien mieux qu'elle. Les mots ne lui avaient été d'aucun recours dans la voiture, tout à l'heure, lorsqu'il lui avait fait ses adieux.

— Je t'aime, lui dit-elle d'un ton désespéré. Je t'aime tant.

Comme elle haïssait le tremblement de sa voix ! Elle ne voulait pas donner d'elle-même l'image d'une adolescente nerveuse. *Elle voulait avoir l'air d'une femme.* Elle se tenait à présent sur la pointe des pieds, appuyée contre lui, attendant qu'il enlace sa taille.

Hélas, il restait immobile. Quelle attitude adopter ? Comme il était embarrassant de ne pas savoir prendre d'initiatives ! Il fallait dire que c'était toujours Remi qui l'avait poursuivie de ses assiduités, elle passant son temps à le brider dans ses entreprises.

En désespoir de cause, elle l'embrassa sur les lèvres, espérant susciter une réaction chez lui. Priant pour qu'il reprenne le contrôle des opérations…

Or, il demeura complètement figé, osant à peine respirer. Au bout d'un moment, la situation lui parut ridicule : elle avait l'impression d'embrasser une statue ! Alors elle détacha sa bouche de la sienne, quasiment incapable de soutenir son regard.

— Molly, dit-il en secouant la tête, tu es en train de faire une erreur…

— Pas du tout ! s'écria-t-elle précipitamment.

La panique l'envahit d'un coup. Allait-il la renvoyer ? Devrait-elle s'en retourner dans sa maison étouffante et lugubre, pour y mourir de solitude ? Il ne comprenait donc pas ! Il persistait à croire qu'elle était toujours la naïve petite Molly, qui ne lui accorderait que quelques chastes baisers, et cela ne l'intéressait pas.

Elle devait de toute urgence lui prouver qu'elle nourrissait d'autres intentions. Qu'elle était devenue *autre*. Alors, avant que le courage ne la déserte, elle posa la main au niveau de sa ceinture… Il avait troqué son smoking contre un jean, mais n'avait pas pris le temps de mettre un ceinturon, ce qui lui facilita la tâche. En un rien de temps, elle déboutonna son jean, fit glisser la fermeture Eclair...

Remi retenait son souffle, toujours aussi immobile, mais ne la repoussait pas. Elle en conclut que son initiative était la bonne. Il appréciait qu'elle prenne les choses en main. D'ailleurs, ne l'avait-il pas souvent encouragée à le caresser ? Chaque fois, elle baissait les yeux en rougissant, bien trop effrayée par cette perspective.

Elle avait encore peur ce soir, mais à cette peur se mêlait un sentiment proche de l'excitation, qui faisait battre son cœur bien plus vite.

Lui aussi respirait plus rapidement. Son haleine était douce, quoique teintée d'alcool. Elle entendait le tambourinement fou de son cœur, dans sa poitrine. De toute évidence, ses caresses ne le laissaient pas indifférent. Fermant les yeux, elle avança la main un peu plus bas...

Ce fut alors qu'il se redressa d'un bond.

— Non, dit-il en la repoussant, je ne peux pas te laisser faire.

Il avança d'un pas chancelant jusqu'au chêne, et s'y adossa, comme s'il ne parvenait pas à tenir debout. Puis il glissa contre le tronc, jusqu'au sol. Enfouissant son visage dans ses mains, il lui cria alors à travers ses doigts que l'abus d'alcool faisait trembler :

— Va-t'en, Molly ! Pour l'amour du ciel, va-t'en !

Pourquoi lui disait-il cela ? Il ne souhaitait pas qu'elle s'en aille, elle en était sûre. N'avait-elle pas senti le frémissement de sa chair, tout à l'heure ? Un frémissement qui s'était communiqué à son propre corps. Il la désirait, il avait besoin d'elle, et, pour la première fois de sa vie, elle comprenait la signification du mot désir. Cela la tiraillait, comme la faim. La brûlait comme le feu. La faisait frissonner de peur... Et déclenchait en elle une douceur liquide contre laquelle elle ne pouvait pas lutter. Comme l'amour.

Molly s'agenouilla devant lui, sa robe de soie jaune formant une corolle d'or sur le gazon d'un vert profond.

— Tout va bien, lui dit-elle doucement en embrassant ses mains et l'anneau des Forrest. Ne vois-tu pas que tout est différent, ce soir ?

Il ne répondit pas. De ses mains incertaines, elle fit glisser son jean le long de ses immenses jambes musclées. Et, quand elle pencha la tête vers le centre de son corps, sa respiration était si saccadée qu'elle crut qu'elle allait s'évanouir.

Néanmoins, elle tint bon. L'instinct seul la guidait, un instinct qu'elle ignorait détenir. Sa bouche trouva enfin la preuve du désir que Remi ressentait pour elle, et elle comprit que, cette nuit, elle allait vivre un événement irrévocable.

Il frissonna sous ses caresses, puis un curieux grognement, un grognement presque animal, s'échappa de sa gorge. A cet instant, il retira ses mains de son visage : ses yeux brillaient de fièvre dans le clair de lune.

— Dis-moi que je rêve, Molly, dit-il d'une voix curieusement dure. Dis-moi que je suis ivre et que je suis en train de rêver.

Le désir qui montait en elle la faisait presque haleter.

— Non, tu ne rêves pas, murmura-t-elle sans relever la tête.

Il poussa un autre gémissement, s'accrochant à l'herbe longue tandis que les lèvres de Molly allaient et venaient sur lui.

— Molly, chuchota-t-il d'une voix brûlante, c'est bien toi...

Sa voix n'avait pas son timbre habituel, on aurait dit celle d'un autre. Il paraissait lutter pour conserver son équilibre, comme s'il craignait que le coussin d'herbe ne se transforme en ravin.

— Tu as toujours été mon rêve, poursuivit-il. Mon premier, mon dernier, mon meilleur, mon plus beau rêve.

La tendresse qui vibrait dans sa voix émut sincèrement Molly et des larmes se mirent à couler de ses yeux.

Avec douceur, il se dégagea, s'agenouilla et entreprit à son tour de la caresser, écartant délicatement la soie jaune de sa robe.

Durant de longues minutes empreintes de la douceur de l'éternité, ils se découvrirent mutuellement. Puis son corps épousa bientôt celui de Molly, et à la brève douleur qu'elle ressentit soudain succéda la volupté absolue. Leurs souffles se mêlèrent, leurs rythmes s'épousèrent, et le dôme de la nuit fut à peine assez grand pour contenir le plaisir qui les emporta.

A l'ombre du grand chêne, sur un tapis de verdure, leurs rêves ne firent plus qu'un.

Jamais Ross Riser n'avait passé plus de dix minutes dans la salle de dessin de Radway. Et ce n'était pas un hasard de circonstance ! Il préférait passer son temps à l'extérieur, auprès des futurs champions. Il n'était définitivement pas un grand amateur d'art.

Il pouvait concrétiser de magnifiques tirs au but. Dribbler d'un bout à l'autre du terrain sans que ses adversaires ne puissent capturer le ballon. Mais il était incapable de tracer une ligne droite sur un papier, à l'aide d'un crayon.

Bref : il était un bloc de muscles et d'énergie, mais entièrement dénué de talent artistique.

Et pourtant, à l'heure actuelle, ses doigts étaient tout poisseux, et il était certain d'avoir de la poussière argentée dans les cheveux. Bon sang ! Dans quelle galère il s'était mis ! Sans même s'en rendre compte, il poussa un profond soupir.

— Si j'avais su que cela t'énerverait à ce point, je ne t'aurais rien demandé, marmonna Tommy en lui adressant un regard agacé.

— Je ne suis pas énervé. Seulement, je ne vois pas pourquoi ton projet initial ne te convient plus. Moi, il me paraissait parfait. Et, étant donné le retard que tu as déjà accumulé...

— Je t'ai dit que je préférais que ce soit une grotte glaciaire ! s'exclama Tommy, exaspéré.

Il pressa alors son tube de colle pour en répandre sur les monts en papier mâché qui, hier encore, étaient censés représenter les montagnes Rocheuses. Montagne ou grotte, la ressemblance était toujours aussi approximative. Toujours était-il qu'il projetait de coller des paillettes argentées à l'intérieur, afin de simuler la glace.

La maîtresse l'avait autorisé à rester après la classe, pour parfaire son projet. Ross, qui avait entraîné les enfants des cours moyens, s'apprêtait à repartir de l'école lorsqu'il avait aperçu Tommy seul, dans la salle de dessin. Sur une impulsion idiote, il lui avait proposé son aide.

Le jeune garçon avait accepté avec reconnaissance. Du moins était-ce ce que Ross avait d'abord cru. Cependant, quand Tommy l'avait chargé de répartir les paillettes argentées sur son chef-d'œuvre, l'entraîneur avait compris qu'il s'agissait d'une manœuvre diabolique, destinée à l'humilier. Car les paillettes étaient le matériau le plus perfide et le moins coopératif jamais inventé. C'était un peu comme tenter d'attraper de la fumée pour la coller. Les paillettes étaient insaisissables et se répandaient partout. Pénétraient partout. Ross était certain qu'il allait éternuer pendant un mois à cause de la quantité de paillettes qui s'était introduite dans son nez.

— De toute façon, le concours de la science est passé, alors, un jour de retard en plus ou en moins, quelle importance ? argua Tommy.

Il fit la grimace, car la colle refusait de sortir. Il pressa plus fort le tube, alors le bouchon, qu'il avait replacé sans s'en rendre compte, céda sous la pression et une giclée de liquide poisseux sortit du tube, comme la lave blanche.

— Merde !

Ses mains étaient toutes gluantes. Il les essuya sur son jean, le maculant à son tour de colle.

— Surveille ton langage ! lui ordonna Ross.

Il voulut lui venir en aide, et, dans un geste malheureux, fit tomber le pot de paillettes sur ses genoux.

— Merde ! lança-t-il à son tour.

Ils échangèrent un regard excédé. Et puis Tommy commença à rire.

— Franchement, tu as l'air pathétique. Tu as des paillettes jusque sur les oreilles.

Ross esquissa un sourire.

— Tu n'as sincèrement rien à m'envier. Tu as de la colle jusque dans les sourcils.

Du revers la manche, Tommy s'essuya les sourcils, non sans observer :

— A nous deux, on fait la paire !

Ross tenta vainement de se débarrasser des paillettes collées au bout de ses doigts avant de maugréer :

— Je vais te dire une bonne chose, Tommy. Je préférerais être perdu dans une grotte glaciaire plutôt que devoir en fabriquer une.

— Vraiment ? Ce genre de grottes peut être très dangereux, tu sais. On peut y mourir de froid.

— Cela m'est égal !

— On risque aussi de s'y empaler sur des stalagmites. Et, parfois, les cloisons sont si minces qu'elles peuvent s'effondrer et vous étouffer.

— Je maintiens ce que j'ai dit.

— En cas de fonte des glaces, elles peuvent être envahies par les eaux, et on y meurt noyé, continua Tommy d'un ton tragique.

— Euh, eh bien, si tu le dis, dit Ross, faisant mine de prendre enfin en compte les dangers énumérés.

Il était agréablement surpris que Tommy connaisse autant d'informations sur la période glaciaire. Cela prouvait qu'il avait effectué des recherches pour mener à bien son projet artistique.

— Au moins, on ne meurt pas de honte. On ne meurt pas recouvert de paillettes argentées.

Tommy éclata de rire, et hocha la tête, reconnaissant tacitement leur défaite commune.

— Exact ! Je suppose que tu n'aimerais pas que ma mère te voie dans cet état.

Ross tendit un doigt tout argenté vers le garçonnet.

— Sûrement pas ! Gare à toi si tu lui racontes quoi que ce soit, jeune homme…

Tommy lui adressa un regard à la fois détaché et malicieux. Pour la première fois depuis qu'ils se connaissaient, Ross ne sentit aucune hostilité chez l'enfant. Finalement, subir le supplice des paillettes avait du bon. Enfin, presque.

— Qu'est-ce qui t'intéresse tellement dans les grottes de la période glaciaire ?

Tommy était en train de parachever son chef-d'œuvre et disposait délicatement des paillettes aux endroits appropriés.

— Je ne sais pas, répondit-il. C'est Liza qui en parlait l'autre jour. Tu connais Liza Lorring ? C'est elle qui m'a donné l'idée, je suppose.

Il scruta attentivement ses grottes, à la recherche du prochain endroit où coller une paillette, à l'instar d'un chirurgien évaluant le meilleur endroit pour inciser. Puis il ajouta :

— Je lui offrirai ces grottes quand j'aurai obtenu ma note. C'est pour cela que je mets tant de paillettes. Liza adore les paillettes.

Tiens, tiens... Ross sourit dans sa barbe. Il comprenait enfin l'obstination du petit garçon.

— Liza et toi vous êtes donc amis ?

Il avait posé la question le plus naturellement possible, tout en tentant de retirer les paillettes qui s'étaient immiscées sous ses ongles. Décidément, quelle calamité !

— Oui, pour une fille, elle est *cool*.

— Sauf en ce qui concerne les paillettes !

Alors Tommy lui adressa un sourire en coin. Un sourire complice. Et, le temps de cet extraordinaire sourire, Ross put apercevoir le briseur de cœur que Tommy serait dans quelques années. Dans cinq ans, six tout au plus, les filles n'auraient qu'à se tenir à carreau... ainsi que tous les garçons qui tenteraient de rivaliser avec lui.

Ross connaissait bien ce petit jeu-là.

— Tu as raison, confirma Tommy en prenant un petit air macho. Les paillettes, c'est tout sauf *cool*.

*
* *

Molly était venue récupérer le projet de Liza à la médiathèque. Passant devant la salle de dessin, elle jeta un coup d'œil par la porte entrouverte et continua sur sa lancée pendant quelques mètres avant de réagir.

Revenant doucement sur ses pas, elle passa avec la plus grande prudence la tête dans l'entrebâillement de la porte. Non, elle n'avait pas rêvé ! Ross Riser et Tommy Cheatwood jouaient au ballon dans la salle de dessin, et, à entendre leurs éclats de rire, on pouvait en déduire que le jeu était fort divertissant. A y regarder de plus près, il s'agissait d'un bien curieux ballon. En réalité, une sorte de balle en mousse destinée à recevoir une composition florale, puisque deux petites roses y étaient encore piquées.

De plus en plus étrange…

Molly plissa les yeux, se demandant si elle n'était pas victime d'une hallucination. Tous deux étincelaient, comme des danseuses de Las Vegas.

Ce fut Ross qui la repéra le premier. Il se figea immédiatement sur place, de sorte qu'il manqua la balle que lui renvoyait Tommy. Elle vint rebondir à ses pieds, en même temps qu'une ultime rose s'en détachait.

— Bonjour Molly, dit Ross en souriant d'un air penaud. J'aidais Tommy à terminer son projet.

Elle lui rendit son sourire.

— Vous ne manquez jamais une occasion pour tester de nouveaux ballons, n'est-ce pas ? Toutefois, je doute que la fédération internationale de football agrée un support floral en guise de ballon.

— Bonjour, Mme Lorring, s'exclama Tommy à son tour. Ross et moi faisions les fous pour fêter la fin de mon projet.

Se penchant pour ramasser le support, il le remit à sa place et ajouta avec aplomb :

— Nous n'avons rien cassé !

Après quoi, il vint lui-même se placer près de Ross, non sans regarder Molly droit dans les yeux, comme s'il la mettait au défi de trouver une preuve contraire.

Elle comprit que le petit garçon ne cherchait pas un soutien en la personne de son entraîneur, mais qu'au contraire il lui apportait le sien. En d'autres termes, Tommy était en train de prendre la défense de Ross Riser.

Comme cela était touchant ! Et curieusement familier : un garçon turbulent qui avait bon fond, mais aurait préféré mourir plutôt que cela ne s'ébruite. Apparemment, les ressemblances entre Tommy et Jack n'étaient pas uniquement d'ordre physique…

— Parle-moi de ton projet, enchaîna-t-elle. Je ne crois pas me tromper en affirmant qu'il contient des paillettes.

— Effectivement, acquiesça Tommy d'un ton tranquille.

Ross était admiratif. Tommy était réellement doué pour faire croire qu'il se fichait d'être recouvert de paillettes, alors que lui tentait actuellement d'évacuer les strass de ses oreilles et de son menton… sans espoir ! Ce que Tommy avait parfaitement compris en choisissant d'affecter une sublime indifférence.

— J'ai travaillé sur des grottes de l'ère glaciaire, poursuivit-il. Seulement, les paillettes nous ont compliqué la tâche.

— Cela fait très mode, affirma alors une voix moqueuse, derrière l'épaule de Molly.

Elle pivota sur ses talons, et un sourire spontané naquit sur ses lèvres. Décidément, tout le monde s'était donné le mot pour se retrouver à Radway, en ce vendredi après-midi.

— Bonjour, Mo, dit-il, avant de déclarer à l'adresse de Tommy : Va te laver et je veux que ça brille. C'est moi qui te ramène à la maison. Je ne tiens pas à ce que tu salisses ma voiture.

— Dommage pour tes beaux sièges en cuir, mais je ne crois pas que le savon me sera d'une grande utilité, répliqua Tommy. Il faudrait un Kärcher pour enlever toute cette colle.

— Méfie-toi bien, je pourrais te prendre au mot, répondit Jack en riant.

Il était manifeste que, dès l'instant où Jack était entré dans la pièce, l'allégeance de Tommy était passée d'un homme à l'autre. Il avait même changé de place, pour être plus près de Jack.

Ross déclara alors :

— Je peux ramener Tommy dans mon pick-up. Moi aussi je suis couvert de paillettes, cela ne fera pas une grande différence.

Jack parut réfléchir à la question avec courtoisie.

Une courtoisie glacée, songea Molly. A cet instant, elle se rappela la leçon qu'elle avait apprise, des années auparavant, en écoutant les joutes verbales sans merci que se livraient Remi et Jack. Pour certains hommes, échanger des insultes était une manière d'exprimer leur affection. Paradoxalement, l'absence de surenchère verbale indiquait un réel antagonisme.

— Non merci, Ross, répondit enfin Jack.

Le ton formel qu'il employa donna froid dans le dos à Molly.

— J'ai promis à Annie que je ramènerais Tommy à la maison, je dois donc tenir ma promesse.

— Pas de problème, répondit Ross en se raidissant imperceptiblement.

Se tournant vers Tommy, Jack déclara :

— Viens avec moi, champion. Je pourrai toujours t'attacher sur le porte-bagages du toit.

Posant la main sur l'épaule de Tommy, il l'entraîna vers la porte, non sans s'arrêter devant Molly pour lui demander :

— Je te dépose quelque part, Mo ?

— Non merci, répondit-elle, j'ai ma voiture.

Consciente qu'elle venait d'assister à un bras de fer, elle ne souhaitait nullement que Ross l'associe à l'humiliation que venait de lui infliger Jack en sortant avec lui.

— Très bien ! A plus tard, donc.

Jack et Tommy partis, Molly se tourna vers Ross. Il était en train de remettre la pièce en ordre et semblait absorbé par sa tâche. Sans mot dire, Molly sortit un mouchoir en papier de son sac pour essuyer le plus gros des paillettes. S'arrêtant soudain devant le chef-d'œuvre de Tommy, elle déclara :

— C'est impressionnant !

Ross hocha la tête sans répondre.

Elle changea de place pour observer les grottes sous une autre perspective.

— Quelle coïncidence ! Ma fille est en train d'écrire une histoire dont le héros s'est égaré dans des grottes de l'ère glaciaire. Je crains que le pauvre homme ne doive affronter de gros problèmes… Des inondations surprises, si je me souviens bien.

— Tommy a également mentionné ce genre de phénomènes, déclara Ross. Sais-tu qu'il envisage de donner son projet à ta fille, après qu'il aura obtenu sa note ?

— Je l'ignorais. Elle va être folle de joie.

— Il aime beaucoup Liza. Selon lui, elle est *cool* pour une fille.

Tout en parlant, Ross tentait vainement de retirer une paillette sur le dos de sa main. Il poussa un gros soupir.

— Je renonce !

— Sois sans crainte, une bonne douche, et tout partira, lui assura Molly avec sympathie. J'ai l'expérience des paillettes, c'est le matériau de décoration préféré de ma fille.

— C'est ce que j'ai cru comprendre.

— Tommy t'a fait de réelles confidences, cet après-midi, alors !

Au sourire radieux qui éclaira alors le visage de Ross, elle en conclut qu'elle venait de lui faire un compliment. Nul doute qu'il convoitait depuis longtemps l'amitié du garçonnet.

— Or, j'ai l'impression qu'il se confie très peu, ajouta-t-elle. Vous devez être très proches tous les deux.

— Je n'irais pas jusque-là. Il est vrai qu'aujourd'hui on s'est bien entendu, lui et moi. Bien mieux que d'habitude. C'est un garçon si difficile à cerner. Il n'a que neuf ans, mais il a déjà un regard ironique sur tout ce qui l'entoure. Parfois, je me dis que les choses pourraient bien fonctionner entre nous s'il n'y avait pas…

Il s'interrompit brutalement, gêné.

Molly trouva sa maladresse touchante. Pas étonnant que Ross soit impressionné par le côté décontracté et ironique de Tommy ! Il en était lui-même totalement dépourvu. Ce qui ne retirait rien à ses qualités, à savoir qu'il était honnête et direct. Cela dit, la simplicité de Ross ne s'accordait pas du tout avec le mordant des Forrest, un mordant parfois fatal.

— Oui, reprit-il courageusement, s'il n'y avait pas…

— Pas qui ? Jack ?

— Oui, Jack. C'est bien de lui qu'il s'agit, admit-il comme à contrecœur.

Pour garder une contenance, il s'affaira de nouveau avec les paillettes qui recouvraient ses doigts. Ses mains étaient larges et épaisses, parfaites pour rattraper des ballons. Malgré elle, Molly pensa à celles de Jack : si elles étaient également larges, les doigts étaient en revanche plus effilés. Plus adaptés à son métier d'architecte et aux maquettes qu'il construisait.

Les deux hommes étaient si différents. Après tout, ce devait être normal qu'ils aient des difficultés à s'entendre.

— S'il n'y avait pas Jack, enchaîna Ross, je pense sincèrement que ma relation pourrait progresser avec Tommy. Lorsque nous travaillons ensemble, sur le terrain de football, tout se passe bien. Il n'a pas l'air du tout de me détester. S'il l'affirme quelquefois, c'est pour imiter Jack.

— Tu te trompes, protesta-t-elle. Pourquoi Jack te détesterait-il ? La haine est un sentiment très fort.

— Tout comme la jalousie. Et l'un peut conduire à l'autre.

Molly ne renchérit pas. Elle n'avait pas le droit de le pousser aux confidences, de s'immiscer dans ses affaires.

Pas plus qu'elle n'était habilitée à déterrer les secrets de Jack en dépit des années d'amitié qui la liaient à lui.

Un baiser. C'était tout ce qu'ils avaient partagé. Un baiser qui n'avait pas dû revêtir une grande importance aux yeux de Jack, mais qui, de son côté, ne cessait de la hanter. Ce baiser avait entrouvert une porte dérobée dans son cerveau et elle avait brièvement aperçu de mystérieuses perspectives. Elle voulait comprendre les sentiments qu'elle ressentait pour lui. Elle voulait le comprendre.

Or, discuter avec Ross lui permettrait d'y parvenir.

— Je ne suis pas certaine de tout saisir. Qui est jaloux ? Toi ou Jack ? Et de quoi ?

— Tu penses sûrement que c'est moi qui suis jaloux de lui. Logique ! Il a dix ans de moins et toutes les femmes lui tournent autour comme des papillons autour d'une lampe. Quant à mon compte en banque, il ne représente qu'une infime partie du sien. Pourtant, entre nous, c'est le contraire. Que tu le croies ou non, c'est lui qui est jaloux de moi. De chaque heure que je passe avec Annie. Et avec Tommy, bien sûr.

Molly hocha la tête. Quiconque voyait Annie et Jack ensemble se posait *forcément* une question sur la nature de leur relation. Elle décida d'obtenir, elle, une réponse.

— Pourquoi ? Y a-t-il... Est-ce que leur relation est... Leur relation est-elle sérieuse ?

— Sérieuse ? dit Ross d'un air faussement amusé. Crois-tu franchement que ce mot ait une signification pour Jack Forrest ?

— Ross..., commença-t-elle.

— Ecoute, Molly, l'interrompit-il, je comprends ce que tu veux savoir. Ce qui te tracasse. Malheureusement, je ne suis pas la personne la mieux placée pour répondre à ce genre de questions.

— Naturellement, concéda-t-elle, honteuse.

— Ce que je te conseille, en revanche, c'est de prendre le taureau par les cornes. Si tu veux réellement connaître le lien qui unit Annie, Jack et Tommy, adresse-toi au premier concerné.

— Tu as entièrement raison, je questionnerai Jack. Navrée d'avoir été indiscrète.

Ross lui adressa subitement un grand sourire.

— Parfait ! Lorsque tu auras la réponse, fais-la-moi savoir, s'il te plaît.

10.

A Everspring, le petit salon avait toujours été la pièce préférée de Molly. D'imposantes portes-fenêtres occupaient généreusement trois murs sur quatre, de sorte que, le matin, le soleil s'y déversait à flots. Ses rayons s'accrochaient dans les rideaux mordorés, jouaient sur la dorure des cadres, enflammaient les vases en bronze, remplis de roses jaunes. Tout l'espace paraissait animé de lumière.

A l'heure actuelle, Molly et Lavinia se trouvaient dans cette pièce lumineuse où, tout en sirotant un café, elles discutaient des travaux de la journée. Comme d'habitude, elles n'étaient pas d'accord. Molly avait récemment découvert que Lavinia adorait exercer son esprit de contradiction !

— Je regrette parfois de t'avoir demandé de t'occuper du parc communal, marmonna Lavinia tout en mordant dans un croissant au beurre. Aujourd'hui, j'aimerais que tu restes à Everspring pour surveiller la taille des arbres. Un mauvais élagage peut être fatal, ce n'est pas à toi que je vais l'apprendre.

S'adossant à son fauteuil, Molly ferma un instant les yeux, appréciant la caresse du soleil sur son front.

— Rassurez-vous, personne ne va massacrer les jardins d'Everspring. Mel, la personne qui supervise les travaux, est un véritable magicien quand il a des ciseaux entre les mains.

— Imagine qu'on me propose un dollar pour tailler quelques arbres, commença Lavinia d'un ton malicieux. Si tu n'es pas à Everspring, qui sera là pour m'arrêter ?

— Ne vous ai-je pas mentionné le fait que Mel le magicien pesait 150 kilos ?

Lavinia pinça les lèvres, contrariée, mais ne désarma pas.

— J'ai trouvé une vieille carte des jardins, qui remonte à 1799, et j'aurais aimé que nous l'étudions ensemble. Pourquoi dois-tu absolument te rendre au parc ?

Se redressant, Molly adressa un regard sévère à Lavinia et répondit :

— Parce que l'inauguration a lieu dans deux semaines, et qu'il nous reste deux semaines et demie de travail. Parce que c'est aujourd'hui que les ouvriers construisent le pavillon et que je veux m'assurer qu'ils n'abîment pas les azalées. Parce qu'il y a une nouvelle équipe qui va créer de nouveaux parterres et que je dois être là pour donner des instructions. Parce qu'une des fontaines fuit en permanence et que les roses risquent d'attraper le mildiou, si je n'interviens pas rapidement.

Lavinia poussa un soupir d'agacement, mais Molly ne se laissa pas attendrir.

— En outre, si nous ne respectons pas notre programme à cause d'une vieille carte, les jardins d'Everspring ne seront pas prêts pour le bicentenaire de la plantation, qui est également dans deux semaines. Ai-je été suffisamment convaincante ?

— C'est bon, fit Lavinia. Ne prends pas ce ton dramatique…

Là-dessus, elle avala tranquillement une gorgée de café. Lavinia était bonne joueuse, l'une de ses grandes qualités étant de savoir perdre.

— Vous, les jeunes, vous êtes parfois si contrariants. Sais-tu que je n'arrive toujours pas à obtenir l'accord de Jack concernant le discours d'inauguration ? Je ne sais vraiment pas ce qui lui passe par la tête.

Molly s'était également interrogée sur le refus de Jack, mais elle n'avait pas osé aborder le sujet avec lui. Depuis la discussion au parc, lorsque Lavinia avait exposé son projet avec beaucoup d'enthousiasme et qu'elle s'était heurtée au refus net de Jack, personne n'en avait reparlé. Aussi Molly en avait-elle déduit que Lavinia avait fini par l'emporter, comme cela lui arrivait souvent.

— Peut-être est-ce à cause de ses rendez-vous professionnels à New York, hasarda-t-elle.

— Non, c'est par pur entêtement, répondit Lavinia.

Elle reposa sa tasse de café sur la table basse, puis s'absorba dans la contemplation des roses Ballerina, plantées dans des pots en terre cuite, sur le patio.

Brusquement, Molly nota que la tante de Jack paraissait fort lasse. Comme s'il n'était pas 8 heures du matin, mais du soir. De toute évidence, le refus de son neveu la tourmentait.

— Pourquoi ? insista Molly, perplexe. Il est pourtant logique que ce soit lui qui lise le discours. En tant que jumeau de Remi, Jack le connaissait mieux que personne. Comme vous l'avez vous-même souligné lorsque vous lui avez formulé votre demande, personne ne l'aimait plus que lui.

Les yeux toujours rivés sur les roses, Lavinia déclara d'un air pensif :

— C'est peut-être ça, le problème.

— Que voulez-vous dire, exactement ?

Lavinia tourna son regard vers la jeune femme. Un regard voilé et absent.

— Cela signifie que Jack ne s'est peut-être pas encore remis de la mort de son frère. Peut-être n'a-t-il pas envie de se retrouver face à la population de Demery pour évoquer la mémoire de Remi, parce qu'il se sent encore coupable.

— Coupable ? se récria Molly. Mais c'est parfaitement ridicule.

— Le fait qu'une chose soit ridicule ne l'empêche pas d'être exacte, remarqua Lavinia en souriant tristement. Je soupçonne également Jack d'en vouloir encore à Remi pour l'accident. Ce dernier conduisait à tombeau ouvert. Presque cent soixante kilomètres à l'heure, selon la police. Il aurait pu les tuer tous les deux. Mais c'est Jack qui est resté et qui doit porter seul la culpabilité d'être en vie alors que son jumeau ne l'est plus.

Molly ne savait que répondre. Bien que la logique de Lavinia lui parût contestable, elle n'en contenait pas moins une part de vérité sur la nature humaine. Lavinia possédait une forme de sagesse qui provenait probablement des études précises qu'elle avait menées sur l'histoire familiale. A partir des livres, ou de la réalité.

— Dans ces conditions, autant charger une autre personne de faire le discours.

— Si j'insiste, c'est parce que je suis persuadée que cela lui ferait du bien, affirma Lavinia en haussant les épaules, comme si elle venait juste d'arriver à cette conclusion après une longue introspection. Il doit enfin regarder le passé en face et le surmonter. Tout le monde devrait se livrer à ce genre d'exercices, de temps à autre. Cela forge le caractère. Eclaircit l'horizon. De la sorte, on peut atteindre plus rapidement la destination suivante…

Prenant distraitement un morceau de sucre, elle ajouta :

— A propos, as-tu accepté la scandaleuse offre de vente que l'on t'a soumise pour la maison de tes parents ?

Molly comprit aisément le cheminement de la pensée de Lavinia !

— Je présume que c'est Jack qui vous a annoncé le prix ? Non, j'ai refusé. J'ai soumis une nouvelle offre aux acheteurs, qui l'ont à leur tour déclinée.

Molly se mordit la lèvre au souvenir du sentiment ambigu qu'elle avait éprouvé en comprenant qu'elle avait perdu son unique chance de se débarrasser de la maison.

— Je présume que Jack a raison. Pour que la maison me rapporte de l'argent, il faut que je fasse faire des travaux de rénovation.

— Quelle bonne idée ! approuva Lavinia. L'un de nos ministres n'affirmait-il pas que tout le monde devrait s'efforcer de toujours laisser un lieu dans un meilleur état qu'il ne l'a trouvé ? C'est bon pour l'esprit. En outre…

— … cela éclaircit l'horizon ? compléta Molly, un petit sourire en coin.

— Tu as toujours été une fille intelligente, répondit Lavinia en lui serrant affectueusement la main. Pour parler franchement, j'aimerais que tu restes un peu plus longtemps parmi nous. Tu nous as manqué, tu sais.…

Un petit coup sec frappé contre l'une des portes-fenêtres interrompit leur conversation. Sur le patio se tenait un jeune homme en salopette, coiffé d'une casquette de base-ball. Il semblait fort préoccupé.

— Mel ! s'écria Molly en se précipitant vers lui.

Mel n'était pas précisément un boute-en-train, mais, aujourd'hui, il était encore plus renfrogné qu'à l'accoutumée.

— C'est donc lui le fameux magicien de cent cinquante kilos ! railla Lavinia. Il faudrait revoir tes maths, Molly…

Ignorant les commentaires ironiques de Lavinia, elle ouvrit la porte-fenêtre et s'enquit :

— Tout va bien, Mel ?

— Non, madame, répondit le jeune homme en secouant la tête comme un métronome. Il faut que vous veniez de toute urgence. Les azalées viennent d'arriver et elles présentent de sacrés problèmes.

Ce jour-là, Liza rentra de l'école avec Jack et Tommy. Elle était aux anges ; les autres élèves, qui attendaient sagement le bus à l'arrêt, les regardaient se diriger vers le parking d'un air envieux. Et qui sait ? Peut-être certains pensaient-ils que Jack était son père. Comme lui, elle était blonde et élancée, c'était donc plausible.

Aujourd'hui était une journée bénie, car Jack avait promis de les emmener à l'aéroport où il devait réserver un vol en partance pour New York, pour le lendemain. Il leur avait même affirmé qu'ils pourraient monter dans le cockpit de l'avion que pilotait l'un de ses amis.

Liza était si excitée qu'elle n'avait pas pensé une seconde à la planète Cuspiane durant le trajet de retour à Everspring. Aujourd'hui, la planète Terre était plus *cool*.

Hélas ! Dès qu'elle aperçut sa mère, tous ses espoirs retombèrent. Celle-ci semblait bouleversée. Elle était en train de discuter sur son portable, d'un ton très, très calme, ce qui signifiait qu'elle était extrêmement en colère. Dans ces cas-là, sa mère chuchotait presque comme si elle craignait de se mettre à hurler si elle parlait à voix haute.

— Ce n'est pas une excuse valable pour nous adresser des plantes dans un tel état, disait sa mère lorsqu'ils s'avancèrent vers elle.

Sa voix était si glacée que, d'instinct, Liza eut pitié de son interlocuteur.

— Et je vous préviens, poursuivait Molly, si vos plantes ont contaminé ne serait-ce qu'un brin d'herbe, ici, à Everspring, je vous renvoie la facture pour le traitement.

La conversation se poursuivit pendant quelques minutes de cette façon, durant lesquelles Jack, Tommy et Liza échangèrent des regards intimidés. Lorsque Molly raccrocha enfin, elle fixa longuement son téléphone, d'un air de colère.

Instinctivement, Liza s'élança vers elle pour la serrer dans ses bras. Quand les choses allaient mal, une mère aussi avait besoin de réconfort.

— Qu'y a-t-il, Mo ? s'enquit Jack.

Sa sollicitude emplit de joie la fillette. Décidément, il faisait un parfait roi Chantsaule, pensa-t-elle en se pressant davantage contre sa mère. S'en rendait-elle compte ?

— T'a-t-on envoyé des plantes en mauvais état ? ajouta-t-il.

— Aujourd'hui, on devait me livrer les azalées et les rhododendrons pour la partie ouest des jardins, répondit-elle d'une voix sourde. Deux cents plantes en tout. Toutes contaminées. Au point que j'ai interdit qu'on les décharge du camion.

— C'est incroyable ! s'exclama-t-il avec beaucoup de sympathie.

Même Tommy parut impressionné.

— Deux cents plantes malades ? Et elles auraient pu contaminer les autres ? C'est comme la peste, on a étudié le phénomène en histoire. L'ont-ils fait exprès ?

— Je me le demande ! fit Molly en passant la main sur son front, comme si elle ne parvenait toujours pas à le croire. Elles étaient infestées de toutes sortes d'insectes. Des pucerons, des acariens...

— Il y avait aussi des mildious ? demanda Liza.

Elle avait déjà entendu sa mère s'en plaindre et trouvait le terme fort amusant.

— Des mildious ? répéta Tommy, à qui le mot plaisait aussi, visiblement.

Liza lui lança un regard d'avertissement, car elle sentait qu'il avait envie de rire. Or, ce n'était pas du tout le moment !

— Non, le mildiou, c'est autre chose, ce n'est pas un insecte, répondit Molly, sans avoir le courage de donner davantage d'explications.

— Cela retarde-t-il beaucoup tes projets, Mo ? interrogea Jack. Vont-ils te les remplacer ?

Liza nota du coin de l'œil qu'il avait posé sa main sur la tête de Tommy, pour l'avertir lui aussi de ne pas rire.

— Difficile de trouver deux cents autres plantes au pied levé ! D'autant qu'en ce moment tout le monde commande des plantes, c'est de saison...

Molly poussa un long soupir avant de se rendre compte subitement que les enfants étaient à la maison une bonne demi-heure avant l'arrivée du bus.

— Excusez-moi, j'étais si absorbée par mon petit mélodrame que je ne pense plus à rien. Comment se fait-il que vous soyez déjà à la maison ? Tout va bien ?

— Jack voulait nous conduire à l'aéroport, annonça Liza.

Elle tâchait de masquer son excitation, tout comme sa mère tentait de dissimuler sa frustration.

— Mais je n'irai pas si tu as besoin de moi, ici. Je ne t'abandonnerai pas. Tommy et Jack n'auront qu'à y aller seuls.

Elle avait dégluti fortement en prononçant cette ultime phrase, preuve d'un touchant sacrifice. Durant quelques secondes, le regard de sa mère croisa celui de Jack et la fillette crut y déceler une sorte de complicité, un sentiment très doux, très Chantsaule, même si ce fut extrêmement rapide. Alors, en dépit des insectes et du mildiou, Liza recourra sa bonne humeur.

— Si tu restes ici, ma chérie, serais-tu capable de faire apparaître deux cents azalées d'un coup de baguette magique ? lui demanda Molly.

— Non, répondit Liza en souriant. Naturellement, sur la planète Cuspiane, il doit y en avoir au moins deux millions. Hélas, cela ne t'est pas d'une grande utilité.

— Par conséquent, il est inutile que tu restes avec moi. Tu peux accompagner Jack et Tommy à l'aéroport.

— En es-tu bien certaine, maman ? questionna Liza en prenant la main de sa mère dans la sienne.

— Absolument. Allons, ne t'inquiète pas, mon cœur. Je vais résoudre ce problème, je te le promets.

— Je crois que ta mère a raison, Liza, assura à son tour Jack.

Dans ses yeux brillait une lueur qui plut beaucoup à la fillette. La prochaine fois, elle tenterait de la reproduire, dans le regard du roi Chantsaule.

— Qu'as-tu prévu de faire demain, à l'aube, Molly ? ajouta-t-il à brûle-pourpoint.

— Que me suggères-tu exactement ? D'aller dérober des azalées dans les jardins des voisins pendant que tout le monde dort encore ?

— Non, de m'accompagner quelque part. J'ai un plan, répondit-il d'un ton mystérieux.

— Je n'ai pas besoin d'un plan, Jack, mais d'un *miracle.*

Elle se frottait les mains d'un air absent en dirigeant tristement son regard vers les parterres vides.

— Pas de problème, j'ai les deux en réserve ! affirma-t-il dans un beau sourire.

Cela faisait une bonne demi-heure qu'ils roulaient, et Jack refusait de lui dire où ils allaient. Tout ce qu'elle savait, c'était qu'ils se dirigeaient vers l'est : le plus formidable lever de soleil qu'elle avait jamais vu déployait ses feux juste devant eux. Des petits nuages moutonnés, teintés de reflets rouges et roses, se serraient les uns contre les autres, composant un énorme bouquet, un peu comme si le ciel regorgeait d'azalées.

La beauté du paysage lui faisait presque oublier ses tracas, tracas qui l'avaient empêchée de dormir une bonne partie de la nuit. Durant son insomnie, elle avait réfléchi à des solutions de rechange. Naturellement, il y avait *toujours* des solutions de rechange, mais Lavinia serait terriblement déçue. Elle adorait les azalées. Molly savait qu'elle attendait chaque année leur floraison avec une grande joie et impatience.

Lorsque Jack obliqua à droite, elle comprit qu'ils arrivaient à Blossom Hill.

Son cœur se serra. Elle avait déjà appelé la pépinière. Et avait obtenu la même réponse qu'ailleurs : Blossom Hill n'avait plus la moindre azalée.

— Oh, Jack..., murmura-t-elle, affligée.

Elle était aussi désolée pour lui que pour Lavinia et elle-même. Il avait paru si heureux du miracle qu'il allait réaliser.

— Est-ce à Blossom Hill que nous allons ? J'aurais dû te prévenir. Eux aussi ont été dévalisés.

— Ah bon ? fit Jack, un large sourire aux lèvres. Tu as dû oublier de prononcer le sésame, quand tu les a appelés.

Jack se gara alors sur le parking vide et coupa le moteur.

— Non ! affirma-t-elle. Je t'assure, ils n'en ont plus.

— Je n'en doute pas, dit-il en débouclant sa ceinture de sécurité. En l'occurrence, il fallait prononcer le mot « Virginie ».

— Virginie ? répéta-t-elle, intriguée.

— Je suppose que « Kentucky » aurait aussi fait l'affaire. Ou « Delaware ». Bref, le tout était de citer un Etat. Et, naturellement, il fallait ajouter : « Par courrier express de nuit, s'il vous plaît. »

Molly regarda Jack, incapable d'en croire ses oreilles.

— Tu as fait livrer deux cents azalées cette nuit ? C'est impossible... Mais cela a dû te coûter extrêmement cher !

— Allons, Molly ! Quand on vous offre un miracle enveloppé dans du papier cadeau, il est inconvenant de s'enquérir du prix.

Elle se mordit la lèvre et répondit, gênée :

— C'est juste que je n'arrive pas à le croire. Es-tu vraiment sérieux ? As-tu réellement fait livrer deux cents pots d'azalées en provenance de Virginie ?

— Deux cent cinquante, pour être exact. J'ai pensé que tu avais besoin d'une marge de sécurité. On ne sait jamais, certains pourraient avoir le mildiou.

— Si tu crois que je n'ai pas vu vos petits sourires en coin, hier, à ce propos, répliqua-t-elle. Sache que ce n'est pas très drôle quand les plantes sont atteintes de mildiou.

— Je suis sûr que non ! assura-t-il d'un air faussement contrit. Eh bien, on va chercher ces azalées, oui ou non ?

Désignant les bâtiments de la pépinière encore plongés dans l'obscurité et entourés d'hectares de verdure silencieux, Molly répondit :

— Ce n'est pas encore ouvert.

— Pour nous, si !

Il brandit alors une petite clé dorée, en ajoutant d'un ton diabolique :

— Durant ma jeunesse dévoyée, je me suis fait des camarades de beuverie pour la vie. Comme le propriétaire de la pépinière.

La vue de cette minuscule et ridicule clé convainquit Molly du sérieux de Jack.

Un miracle s'était réellement produit.

— Jack, comment te remercier ? Comment… ?

Posant son doigt sur les lèvres de la jeune femme, il répondit :

— Ne dis rien, et suis-moi. Allons admirer nos fleurs.

Elle lui emboîta le pas.

Lorsqu'ils entrèrent dans la pépinière, elle eut la sensation de pénétrer dans un monde enchanteur, où flottaient de merveilleux effluves. La planète Cuspiane ne pouvait pas contenir plus de magie, pensa-t-elle, en admirant les longues rangées de marguerites africaines aux pétales veloutés bleu foncé et violets, les paniers suspendus de muguets, et les phlox alignés en pots, dont les couleurs évoquaient un magnifique arc-en-ciel.

Peut-être était-ce l'aurore rose qui saupoudrait le tout de féerie. Ou bien la simple idée qu'ils étaient les seuls êtres humains dans ce monde végétal où les plantes croissaient dans un silence absolu.

A moins que ce ne fût la simple présence de Jack qui conférait à l'ensemble des airs de miracle. Il s'était donné toute cette peine pour la rendre heureuse.

Quelle qu'en soit la raison, elle qui, de par son métier, visitait souvent des pépinières était particulièrement émue par la beauté des lieux.

— Viens, lui dit Jack. Nos plantes sont dans l'arrière-cour.

Le timbre jovial de sa voix la fit presque sursauter. Elle s'était attendue à ce qu'il murmure, comme s'ils se trouvaient dans une église.

— Entendu, répondit-elle doucement. Je te suis.

Il se déplaçait rapidement dans les allées étroites, ses larges épaules effleurant de temps à autre des fleurs suspendues, ce qui créait de délicats parfums dans son sillage. Molly fermait les yeux pour bien s'en imprégner. Il lui arrivait aussi de s'arrêter quelques secondes devant certaines fleurs afin d'en contempler la délicatesse.

Alors Jack se retournait, soulevait un sourcil, et elle le rattrapait, honteuse de le retarder. Elle savait qu'il devait prendre son avion pour New York dans quelques heures.

Les plantes avaient été déposées près du bâtiment central. Elles formaient un tableau impressionnant. Des dizaines de containers de cinquante litres remplis de rhododendrons en bourgeons et des douzaines d'autres contenant des azalées.

Elle inspecta rapidement l'ensemble. Les « Cary Anne » pour les parterres, près du bungalow, les « Lavande Grandiflorum », capables d'atteindre la hauteur d'un arbre et destinés à encadrer les grilles. Et les « Elisabeth », des rhododendrons nains censés border les marches menant à la fontaine.

C'était splendide. Ces plantes étaient tout le contraire de celles qu'elle avait réceptionnées la veille. Elles étaient brillantes, vigoureuses et possédaient de beaux bourgeons bien renflés.

Appuyé contre le mur, Jack observait tranquillement son inspection. Elle palpa les feuilles, tâchant de repérer de minuscules imperfections annonciatrices de catastrophes ultérieures. Lorsqu'un pétale lui semblait terne, elle se penchait pour l'examiner de plus près et en trouver la raison...

Rien à redire ! Les plantes étaient parfaitement saines.

— Je n'arrive pas à le croire, déclara-t-elle en se redressant enfin. C'est réellement un miracle. Comment connaissais-tu les variétés que j'avais commandées étant donné que tu ne m'as rien demandé ?

— Rien de plus facile ! J'ai appelé la première pépinière, celle qui avait livré les fleurs infestées, et ils m'ont faxé la liste de la commande.

Il donnait l'impression que tout avait été simple. C'était d'ailleurs toujours l'impression qu'il donnait...

— Merci, Jack, lui dit-elle en s'approchant de lui. Merci beaucoup.

Elle lui prit alors la main, et la plaça autour de sa taille, posa sa tête sur l'épaule de Jack après avoir déposé un baiser sur sa joue. Ils restèrent ainsi un bon moment, à contempler les plantes. Ils s'étaient déjà enlacés de cette façon des centaines de fois, autrefois. Quand ils assistaient à un match de football et admiraient les passes parfaites de Remi, par exemple, Jack la serrait contre lui pour la protéger du vent. Ses petites amies en avaient d'ailleurs souvent conçu de la jalousie, sceptiques sur cette amitié fraternelle. Mais Jack n'avait jamais laissé aucune dicter sa conduite.

— Regarde, dit Molly en fixant l'océan de verdure, les paupières mi-closes. Regarde comme c'est beau.

— Ce sont effectivement de belles plantes, concéda-t-il sans grande émotion.

Puis il ébouriffa les cheveux de Molly et la serra un peu plus fort contre lui.

— T'ai-je déjà dit que tu étais adorable quand tu es heureuse ?

Elle leva les yeux vers lui. Le lever du soleil, en arrière-plan, créait un halo doré autour de sa chevelure. Des lueurs tendres et amusées pétillaient dans ses yeux.

— Pendant le trajet, tout à l'heure, je me suis rappelé quelque chose. Quelque chose que tu faisais, autrefois, lui dit-elle d'une voix douce et grave.

— *Mamma mia !* Un homme ne peut-il donc jamais échapper à ses péchés ?

— Je te rassure, ce n'était pas un péché, dit-elle en riant. J'ai trop de savoir-vivre pour te les rappeler !

Là-dessus, elle dirigea de nouveau son regard vers les plantes et ajouta :

— C'est un petit détail, que tu as probablement oublié. J'avais environ quinze ans quand Remi et moi avons commencé à sortir ensemble. Un jour, il était censé venir me chercher à l'école, mais il avait oublié. Je l'attendais depuis une heure, très angoissée, parce que je savais que j'allais avoir des ennuis, à la maison. Et puis tu es arrivé...

Il haussa les épaules sans rien répondre, comme si sa gratitude le gênait, comme s'il acceptait mal le rôle du héros.

— Ce n'était pas la première fois que tu me sauvais la vie, et sûrement pas la dernière.

— Tu n'as jamais eu besoin de moi pour te tirer d'un mauvais pas, Mo, protesta-t-il avec douceur. Tu peux fort bien te débrouiller seule. Affronter toutes les situations. Même les pires, comme le mildiou…

Au son de sa voix, elle comprit qu'il souriait et que son sourire devait relever malicieusement le coin gauche de sa bouche.

— … je suis certain que tu avais un plan de secours pour tes plantes infestées.

— Ne change pas de sujet, lui dit-elle alors en pressant la main de Jack contre son ventre. Je dois te faire une confidence importante. Depuis que je suis revenue à Demery, j'y vois plus clair en ce qui concerne Remi. Jusqu'alors, je n'avais jamais compris à quel point il était négligent. Négligent envers moi, envers mes sentiments. Et sais-tu pourquoi je ne m'en rendais pas compte, à l'époque ?

Jack eut un petit mouvement nerveux, presque imperceptible, mais qui ne lui échappa pas.

— Parce que tu étais folle d'amour et que cela te rendait aveugle ? suggéra-t-il.

— Non, dit-elle. Si je n'ai rien remarqué, c'était à cause de toi. Parce que tu étais toujours là pour parer à ses manquements, et faire en sorte que les promesses soient tenues.

— Molly, c'est absurde, dit-il, tendu.

— Rassure-toi, cela restera entre nous, mais je tenais à t'en remercier. Merci d'avoir toujours pris soin de moi.

Il ne répondit rien. Et, tandis qu'elle était appuyée contre son corps viril et rassurant, Molly sentit que le monde s'éveillait autour d'eux.

A quelques pas, dans un olivier, un moqueur roulait des vrilles perçantes. De la route nationale toute proche montait le ronronnement des moteurs, signe que la circulation devenait de plus en plus dense. En outre, un ouvrier avait dû arriver sans faire de bruit, car on entendait une bêche creuser la terre ; chaque coup faisait vibrer son être...

Parallèlement, elle avait la sensation que ses sens s'éveillaient. Soudain, elle distingua l'odeur typique du soleil sur la chemise en coton un peu rêche de Jack, pour avoir séché dans l'arrière-cuisine d'Everspring. Elle sentit la chaleur de sa peau à travers l'étoffe. En retenant sa respiration, elle pouvait même entendre les battements réguliers du cœur de Jack résonner dans son propre corps. Elle cessa de respirer pendant quelques secondes, pour bien l'entendre...

Quand elle se remit à respirer, elle eut la sensation que ses poumons avaient rétréci et qu'elle ne parvenait plus à inhaler suffisamment d'air. Par ailleurs, tout son corps frissonnait, notamment aux points de contact avec celui de Jack. Elle avait le sentiment d'être un bourgeon d'azalée, étroitement corseté dans une gangue de verdure, sur le point d'exploser en un éventail de couleur, au moindre effleurement...

A cet instant, elle comprit qu'elle ne voyait plus un frère en Jack.

— Je voulais aussi te dire autre chose, reprit-elle, le souffle court. Quand je t'ai embrassé, l'autre jour...

— Oui ?

— C'était merveilleux, admit-elle. Depuis, je n'arrête pas de penser à ce baiser.

— Vraiment ? dit-il en resserrant son étreinte. Et à quoi pensais-tu plus précisément à ce propos ?

Il entreprit de dessiner de petites arabesques sur le ventre de Molly d'un doigt léger.

Immédiatement, son corps réagit aux caresses de Jack. Sa respiration était de plus en plus saccadée. Elle ferma les yeux lorsque la main de Jack frôla le bord de son soutien-gorge.

— Au goût de tes lèvres. Aux impressions que tu as fait naître en moi…

La main de Jack remontait lentement, confiante, et ses doigts effleuraient à présent ses seins. Molly poussa un petit gémissement et une vague de frissons la submergea.

Ce fut alors que, quelque part dans la pépinière, on actionna un interrupteur. Sur les tables chargées de fleurs, devant eux, les tuyaux se mirent à faire des bulles et à siffler. Et de l'eau jaillit bientôt de toute la tubulure en plastique pour arroser les milliers de plantes.

En quelques secondes, l'air se chargea d'humidité, et les rayons de soleil se mirent à danser dans les embruns que la brise du matin rabattait contre eux.

— Et quelles étaient ces impressions, Mo ? demanda Jack d'une voix rauque.

Et, comme s'il n'avait pas remarqué que le système d'arrosage s'était mis en marche, il déboutonna la chemise de Molly et glissa ses doigts humides sous le tissu.

Elle fut incapable de répondre. L'eau était froide, mais les doigts de Jack brûlants ; ils semblaient adhérer à sa peau. Elle entrouvrit la bouche et les milliers de gouttelettes qui flottaient dans l'air lui rafraîchirent la langue.

— Quelles impressions je faisais naître en toi, Molly ? chuchota-t-il, la bouche contre sa nuque.

Elle ne trouvait pas les mots. Oh, elle avait raison à propos de ses doigts, l'autre jour. Ils étaient précis, délicats... Adroitement, fermement, ils caressaient sa peau et faisaient naître le désir en elle.

— Jack, murmura-t-elle.

Elle enfouit alors la main dans ses cheveux humides et se pressa contre lui, avide de plus de sensations. Elle ne fut pas déçue. Son corps familier et rassurant épousa le sien. Un corps animé de désir, sculpté par le désir...

— Oh, mon Dieu ! J'ignorais qu'il y avait quelqu'un ici.

La voix sembla venir d'une autre galaxie. Il y eut des bruits de pas précipités, et le monde cessa de danser avec les embruns chatoyants. Le système d'arrosage s'arrêta. Quelques gouttelettes restèrent suspendues dans l'atmosphère.

Durant ces quelques secondes, Jack était parvenu à reboutonner le corsage de Molly.

Il s'écarta d'elle pour aller saluer l'importune.

— Bonjour, dit-il avec un formidable aplomb, en dépit de sa chemise et de ses cheveux trempés. Je suis Jack Forrest et voici Molly Lorring. Brad a commandé des plantes de Virginie pour nous. Nous sommes venus les chercher.

— Je suis vraiment désolée, répondit la petite femme qui les avait interrompus. Je n'aurais jamais mis le système d'irrigation en marche si j'avais su que vous étiez là.

Jack la rassura, et Molly, ayant recouvré ses esprits, affirma à son tour :

— Ce n'est rien, tout va bien.

— Vous êtes complètement trempée, insista l'employée, catastrophée.

Elle lui tendit un chiffon en coton blanc en ajoutant :

— Cela pourra peut-être vous servir.

Molly s'essuya le visage pendant que la femme réitérait ses excuses, tandis que Jack lui expliquait calmement que des camionnettes allaient arriver pour charger les plantes. Il lui remit la clé et l'employée finit par se calmer avant de déclarer à l'attention de Molly :

— Laissez-moi compenser l'incident en vous offrant une plante d'intérieur. Il n'y a que l'embarras du choix.

— Merci, mais je vous assure que ce n'est pas la peine.

— S'il vous plaît ! Je me sentirais bien mieux. C'est ce que Brad aurait fait, de toute façon.

— Entendu, concéda Molly. Au fond, je suis heureuse de ramener un souvenir de la pépinière et du merveilleux moment que nous avons passé ici.

Comment se décider parmi ces milliers de plantes aussi merveilleuses les unes que les autres ? Laquelle symbolisait le plus l'excitation latente, l'éveil de la sensualité, l'amour nimbé de magie ?

Une orchidée, bien sûr. Il y en avait tout près d'elle. Des violettes, qui l'attirèrent irrésistiblement.

— Celle-ci, décida-t-elle en désignant un catleya.

Il était si curieusement délicat qu'il en était presque irréel. Si odorant, si manifestement sensuel qu'il la faisait frissonner.

— J'ai toujours adoré les orchidées, dit-elle alors. Pour moi, ils symbolisent l'amour.

A ces mots, elle releva la tête. L'employée affichait un sourire ravi, approuvant manifestement son choix.

Jack était livide. Son visage reflétait un vide alarmant.

Molly rougit violemment. Elle venait de commettre un impair. Un grave impair. Mais lequel ? Elle regarda l'orchidée, puis Jack. Aurait-il souhaité qu'elle refuse la plante ?

— Nous avons passé plus de temps ici que nécessaire et je vais finir par manquer mon avion, déclara-t-il d'une voix sans timbre. Cela te dérange-t-il de rentrer seule à la maison, Molly ? Je vais appeler un taxi pour me rendre directement à l'aéroport.

— Je l'appelle immédiatement, décréta l'employée.

— Merci, dit Jack, avant de demander froidement à Molly : Tu pourras retrouver le chemin sans problème, n'est-ce pas ?

— Bien sûr, dit-elle, abasourdie. Mais je croyais que...

— Après tout, tu ne rentreras pas tout à fait seule, la coupa-t-il. Tu auras l'orchidée et, comme toujours, les souvenirs de Remi.

11.

— N'insiste pas, Lavinia.

Jack était bien trop épuisé pour poursuivre la conversation. Cela faisait à peine une heure qu'il avait débarqué de l'avion en provenance de New York. Il était en train de monter les marches pour regagner sa chambre, sac de voyage sur l'épaule, lorsque Lavinia l'avait interpellé.

— Ne comprends-tu donc pas ?

— Non, je ne comprends pas. Et pour cause ! Tu refuses de m'expliquer.

Le ton de Lavinia était acerbe. Elle se tenait au bas de l'escalier, une main sur la rampe, le regard levé vers son neveu.

Et dire que dix petites marches seulement le séparaient de son but, regretta Jack. S'il avait gravi juste un peu plus prestement l'escalier, il goûterait à présent la paix et la tranquillité dans sa chambre. Ses deux jours passés à New York, où il avait enchaîné les rendez-vous, avaient absorbé toute son énergie. A la fatigue physique venait en outre s'ajouter l'épuisement mental : difficile de reconnaître qu'il avait perdu la bataille qu'il menait contre lui-même, concernant Molly.

Il avait voulu se convaincre que Molly et lui pouvaient avoir un futur ensemble ; or, il devait désormais admettre le caractère utopique de ce rêve, même si l'attirance physique était indéniable entre eux. Mais cela ne suffisait pas à construire une véritable relation. Les frontières entre le passé et le présent, la vérité et le mensonge, les souvenirs et la réalité étaient désespérément emmêlées.

L'attachement qu'il éprouvait pour Molly pesait, hélas, bien peu dans la balance. Il était celui qu'elle ne pourrait jamais réellement aimer, dans la mesure où il n'existait pas pour lui-même à ses yeux. Dans l'esprit de Molly, il serait toujours le « frère de Remi », un écho déformé de l'homme qu'elle avait follement aimé. Et elle établirait forcément une comparaison...

Les baisers qu'il lui prodiguerait seraient soit aussi réconfortants que ceux de Remi, soit curieusement différents. Sa voix, son rire, ses caresses, tout serait jugé à l'aune de Remi. Il serait toujours la référence de Molly, et lui, Jack, uniquement un pis-aller.

L'orchidée, à Blossom Hill, avait fait office de déclic. En voyant Molly la tenir délicatement dans sa paume, il avait compris à quel point la situation était désespérée. A quel point Remi et lui étaient inextricablement liés dans le psychisme de la jeune femme.

Quelques instants auparavant, il la tenait dans ses bras. Il caressait sa peau douce, ainsi qu'il en avait rêvé des milliers de fois, durant ses nuits d'insomnie. Il avait même eu la faiblesse de penser qu'il pourrait lui faire l'amour, dans la pépinière, sur les fleurs trempées...

Et puis, quand on l'avait priée de choisir une fleur qui immortaliserait ce moment, elle avait spontanément opté pour une orchidée. La fleur que Remi avait accrochée des dizaines de fois à la boutonnière de Molly, y compris la dernière nuit de sa vie.

— Eh bien ? J'attends une explication !

Cette fois, Lavinia était irritée et il se rendit compte qu'il avait perdu le fil de la conversation.

— Vinnie, répondit-il aussi calmement qu'il le put, je t'ai déjà expliqué pourquoi. Seulement, tu refuses de comprendre.

— Je suis âgée, dit-elle d'un ton implacable, aussi immobile qu'une statue. Agée et sénile. Explique-moi de nouveau.

Il changea son sac d'épaule, tout en se demandant comment un costume, trois chemises et un rasoir pouvaient peser si lourd. D'ailleurs, comment se faisait-il qu'un simple aller-retour à New York pour vérifier l'avancée d'un chantier l'eût plongé dans un tel état d'épuisement ?

— Je présume que tu ne peux pas attendre demain pour les explications, commença-t-il.

— Bien vu ! fit-elle froidement.

— Très bien, je vais donc recommencer, concéda-t-il en posant finalement son sac par terre. Bien que j'approuve ta décision de faire don de ce bout de terrain à Demery en vue de l'agrandissement du parc communal, je désapprouve l'idée de donner le nom de Remi au pavillon. Et, parce que je trouve que c'est une mauvaise initiative, je refuse d'y participer.

— Ton éducation a coûté une fortune à ta mère, rétorqua Lavinia. Et, pourtant, j'ai l'impression qu'elle aurait tout aussi bien pu jeter son argent à la poubelle. Ne vous apprend-on pas à étayer vos arguments, à Yale ? « Je ne veux pas parce que je ne veux pas », c'est tout de même pauvre, comme raisonnement !

— Je t'en prie, Lavinia, ne me pousse pas à entrer dans les détails. Je suis trop fatigué pour rester encore longtemps diplomate.

— Parfait ! dit-elle en croisant les bras. Au diable la diplomatie ! Pour une fois, je vais peut-être entendre enfin la vérité. Pourquoi, selon toi, ne dois-je pas baptiser ce bâtiment le pavillon Remi Forrest ?

Bon sang ! Pourquoi tout cela ne pouvait-il rester enfoui ? Il n'avait aucune envie de motiver son refus, pas envie de repenser à toutes ces vieilles histoires.

— Grace Pickens l'a exprimé très clairement, ne crois-tu pas ? Tu fais élever un pavillon à la mémoire de saint Remi Forrest. Or, tu prétends que je suis la personne qui le connaissait le mieux au monde. Eh bien, tu as raison ! Et si je sais une bonne chose sur lui, c'est qu'il n'était pas un saint.

— Bien sûr que non, mon cher enfant ! repartit Lavinia, sans paraître nullement troublée. Mais personne ne l'est, du moins parmi les personnes de ma connaissance. Encore heureux qu'il ne faille pas être un saint pour être aimé. Qu'il ne faille pas être un saint pour manquer aux autres après sa disparition. Oui, heureusement qu'il ne faut pas être un saint pour mériter un pavillon !

Elle le regarda droit dans les yeux et ajouta :

— Si ce jour fatal, c'est toi que nous avions perdu, à la place de Remi, nous aurions fait construire un pavillon de la même façon.

Il poussa un soupir exaspéré.

— Est-ce donc ce que tu crois, Vinnie ? Que je suis jaloux de Remi ?

— Je ne sais pas. L'es-tu ?

— Non ! Sûrement pas.

Ce disant, il se mit à redescendre lentement les marches de l'escalier.

— J'admets qu'au départ cela a été difficile pour moi, étant donné que tout le monde répétait qu'il était injuste que le bon frère soit parti, tandis que le mauvais avait survécu.

— Pas tout le monde, le corrigea Lavinia d'un ton neutre.

— Moi-même, je le pensais, dit-il, comme s'il se parlait à lui-même. Pendant ces mois passés à l'hôpital, j'aurais voulu échanger ma place avec lui. Mais il a bien fallu que je me rende à l'évidence : Remi était mort et moi toujours en vie. J'ai donc dû faire avec, m'adapter à cette nouvelle réalité.

— Je ne comprends toujours pas la logique de ton argumentation. Oui, il a fallu continuer à vivre. Et... ?

Décidément, Lavinia le poussait dans ses derniers retranchements. Au fond, elle avait peut-être raison. Ce qu'il disait n'était sûrement pas d'une logique implacable.

Tout était si compliqué ! De lourds secrets qu'il n'avait pas le droit de dévoiler enveloppaient le passé. Pourtant, il était rare que des secrets restent enfouis pour toujours et il sentait qu'un jour ou l'autre ils referaient surface. D'ailleurs, ils s'étaient déjà matérialisés sous la forme d'une présence humaine bien visible qu'il ne pourrait pas nier éternellement...

Comme toute bourgade qui se respectait, Demery aimait les scandales. Eriger Remi en héros local était le meilleur moyen de faire en sorte que tous les scandales liés à sa personne — et de fait à celle de son jumeau — éclatent au grand jour pour alimenter les potins de la ville.

Et beaucoup de personnes innocentes en souffriraient.

— Jack, va jusqu'au bout de ta logique ! insista Lavinia. Puisqu'elle t'est si personnelle, je ne peux rien déduire. Tu disais que tu as dû t'adapter... J'attends la suite.

Pourquoi Lavinia ne le laissait-elle pas tranquille ? Il était fatigué, fatigué et en colère, et il en avait plus qu'assez de cette maudite conversation.

— Je pense que tout le monde devrait imiter mon exemple, dit-il enfin. Trouve une autre personne pour faire ton discours, Vinnie. Quelqu'un qui est convaincu que Remi était parfait. Pourquoi ne le fais-tu pas toi-même ? Ou mieux, demande à Molly. Elle est encore complètement ensorcelée par Remi.

Il remonta les marches deux à deux, souleva son sac et ajouta :

— Toi aussi, tu dois accepter la réalité, Lavinia. Remi est parti. Il est mort ! Créer un lieu de pèlerinage dans le parc ou dans ton cœur ne le ressuscitera pas.

Lavinia l'écoutait, la tête penchée.

— Es-tu bien certain que c'est à moi que tu t'adresses, Jack ? N'es-tu pas en train de parler à quelqu'un d'autre ?

Hochant la tête d'un air vaincu, il répondit :

— Il semblerait que ce soit à moi-même que je m'adresse.

Après la classe, ce mardi-là, Tommy et Liza passèrent deux heures à Everspring à chasser les Roudeboue dans les coins les plus reculés de la plantation. De temps à autre, Stewball leur donnait un coup de main.

Tommy et Liza finirent par se lasser du jeu. Ils rejoignirent alors Stewball qui se prélassait au bord de la rivière et dégustèrent tranquillement les petits gâteaux que leur avait confectionnés Lavinia.

Tommy jeta un regard hautain à l'animal qui s'était endormi et ronflait dans son sommeil, ayant manifestement atteint le comble du bonheur.

— Mon futur chien sera jeune et plein de vigueur, décréta Tommy, la bouche pleine de gâteaux à la carotte. Les vieux chiens ne pensent qu'à dormir.

— Selon ma mère, les gens qui vivent en appartement ne peuvent pas avoir de chien, répondit Liza. Penses-tu que la tienne sera d'accord pour t'en acheter un ?

— Oui, affirma Tommy d'un ton désinvolte. Un jour, du moins...

— Ah, oui...

La fillette parut déçue. Elle savait ce que « un jour » voulait dire...

Ils demeurèrent silencieux pendant quelques instants. Tommy, qui avait ramassé des galets, s'amusait à faire des ricochets dans l'eau. Liza n'était pas dupe, il voulait qu'elle admire son talent. Elle reconnaissait qu'il était très adroit au jeu des ricochets.

A bout d'un moment, il consentit de nouveau à prendre en compte sa présence.

— Si tu devais choisir un animal, qu'est-ce que ce serait ?

Liza ferma les yeux. De la sorte, elle pouvait mieux voir ce qu'elle imaginait. Elle adorait ce genre de jeux.

— Ce serait un grand chien blanc, avec de la fourrure blanche comme la neige. Il serait si grand que je pourrais monter dessus. Néanmoins, il serait très gentil. Je l'appellerais Francis.

— Francis ! Quel curieux nom pour un chien !

— J'aime beaucoup ce nom. Je l'ai lu dans une histoire, répondit Liza d'un petit air défiant. Et toi ? Quel genre de chien voudrais-tu... Je veux dire... vas-tu avoir ?

— Un colley, répondit-il sans hésiter. Ils sont très intelligents. Mais je ne lui donnerai pas un nom aussi efféminé que Francis.

Mordant dans son gâteau, Liza répliqua :

— Je m'en doute. Tu lui donneras sûrement un nom stupide comme Terreur. Ou Croc Dur.

— Probablement. Et je le dresserai pour qu'il chasse les filles.

Il s'allongea sur l'herbe, fermant les yeux à cause du soleil.

— Ce ne sera pas très compliqué, dit Liza d'un ton moqueur. Les filles détestent les chiens baptisés Croc Dur ainsi que les garçons idiots qui s'appellent Tommy.

Tommy haussa les épaules

— C'est pas grave. Et une maison ? Si tu avais le choix, quel genre de maison achèterais-tu ?

Automatiquement, Liza loucha du côté de la maison de Jack et Lavinia. Encore heureux que Tommy ne la regardait pas. C'était la plus belle demeure qu'elle ait jamais vue, et elle adorait vivre ici. C'était le seul endroit sur Terre où elle se sentait aussi heureuse que sur la planète Cuspiane.

Elle savait que Tommy allait se moquer d'elle si elle lui avouait que son rêve, c'était de rester ici. Alors, croisant les doigts derrière son dos, elle proféra le mensonge suivant :

— Peut-être une petite maison comme celle où ma mère a grandi. Je planterais des roses « Ballerina » tout autour, comme celles que tante Lavinia a plantées sur le patio latéral. Quel nom fantastique, « Ballerina » !

— Moi, je voudrais une maison à quatre étages, comme celle de Junior Caldwell. Mais encore plus grande. Et puis j'aurais une immense pièce pour les jeux vidéo et la télévision.

— *Cool...*

Liza approuva, même si elle ne put s'empêcher d'ajouter des roses « Ballerina » à l'ensemble. A son tour, elle s'allongea sur l'herbe et contempla le ciel. Au loin, des nuages se profilaient. De son angle de vue, il était facile d'imaginer qu'elle volait jusqu'à eux…

— Et si tu devais absolument choisir un père ? demanda Tommy en mastiquant un brin d'herbe. Qui choisirais-tu ?

L'image du roi Chantsaule s'imposa à Liza. Elle répondit pourtant prudemment :

— Je voudrais mon vrai père, bien sûr.

Agacé par la réponse, Tommy répliqua :

— S'il est vraiment mort, ce n'est pas possible. Choisis quelqu'un d'autre.

— Je ne sais pas…

Subitement, Liza se sentit nerveuse. Il se pouvait que Tommy n'apprécie pas sa réponse.

— Euh, je ne suis pas sûre, mais peut-être Jack. Et toi ? Qui voudrais-tu ?

Elle roula alors sur le côté, pour s'assurer que Tommy n'était pas furieux de sa réponse.

— Comme père ? dit-il d'un air méfiant. Oh ! Tu sais, les pères… Je préfère ne pas en avoir du tout qu'en avoir un qui n'arrêterait pas de me donner des ordres et de me gronder.

— Oui, mais, si tu en avais un, est-ce que tu voudrais que ce soit Ross Riser ?

— Je ne sais pas, fit Tommy en recrachant un brin d'herbe. Il pourrait faire l'affaire, j'imagine. Tout comme Jack, d'ailleurs.

A ces mots, une sorte de panique s'empara de Liza, comme si ce jeu stupide était déterminant pour elle.

— C'est un peu injuste que tu puisses choisir l'un des deux ! Ils t'aiment tous les deux beaucoup. Mais Ross Riser n'accepterait jamais d'être mon père, car je suis une fille et que je ne pourrais pas jouer au football avec lui. Jack est le seul qui consentirait peut-être à devenir mon père.

Se redressant sur son coude, Tommy demanda :

— Crois-tu vraiment que Ross m'aime bien ?

— J'en suis certaine.

Un beau sourire éclaira alors le visage de Tommy, comme s'il était réellement heureux. Mais son visage s'assombrit d'un coup.

— Forcément, tu ne vas pas dire le contraire ! Tu veux que je prenne Ross pour que tu puisses avoir Jack.

Liza haussa les épaules, espérant ne pas avoir l'air trop dépitée.

— Non, ce n'est pas ça, mais c'est la seule solution, tu ne crois pas ?

Tommy considéra un long moment sa camarade de jeux. On pouvait voir des centaines de pensées défiler dans ses prunelles vertes.

Enfin, il concéda :

— O.K., je te laisse Jack.

— Merci, dit-elle en baissant les yeux. Enfin, je sais que ce n'est qu'un jeu, mais…

— Eh, j'ai une idée ! s'écria Tommy en se levant brusquement. Allons au coude de la rivière. Je connais un endroit qui pourrait être la grotte glaciaire du roi Chantsaule.

Liza fut soulagée qu'il change de sujet. La conversation commençait franchement à devenir pénible et les choses s'embrouillaient dans son esprit.

— D'accord ! dit-elle en bondissant à son tour sur ses pieds. Je te suis.

Réveillant Stewball, Tommy s'élança le long de la rive. Si vite que Liza eut du mal à le suivre. Alors il l'attendit et, quand elle arriva à sa hauteur, il lui dit d'un air naturel :

— Ecoute, ne t'inquiète pas pour cette histoire de père. J'imagine que Ross fera l'affaire pour moi. De toute façon, les pères, c'est *gonflant.*

Poussant un soupir de satisfaction qui traduisait également son état d'épuisement, Molly tassa la terre autour de la dernière abelia qu'elle venait de planter dans le parterre qui bordait le mémorial.

Le pavillon de Remi était enfin terminé, et il était fort imposant. Il avait fallu cinquante abelias pour en faire le tour. Pour le moment, les plantes n'étaient pas réellement impressionnantes, elles formaient juste un écrin de verdure brillante autour du magnifique pavillon blanc. En juin, les bourgeons écloraient et un tapis blanc et velouté se répandrait tout autour, comme une mer de neige. A cette époque, les azalées seraient fanées, de sorte que les abelias pourraient prendre le relais.

Quant à elle, elle ne serait plus là pour les voir. Elle serait depuis longtemps repartie à Atlanta avec Liza, où elle s'affairerait à concevoir d'autres jardins et d'autres parcs. Son absence ou sa présence ne changerait rien à l'inévitable retour de l'été, à Demery. Les abelias écloraient selon les impératifs des saisons, non selon les désirs de son cœur.

Bien qu'il soit déjà 18 heures, elle s'attardait autour de son dernier plant, trop fatiguée pour se relever. Comme elle le faisait toujours quand elle était malheureuse, elle avait travaillé jusqu'à l'épuisement, ces derniers jours. Elle s'était efforcée de chasser Jack de ses pensées pour se consacrer uniquement aux préoccupations liées à son travail : des mesures de terrain, des allées en pierre, des grilles en fer, des engrais, sans compter tous les ordres qu'elle devait donner. Elle avait planté, transplanté, bêché, élagué, jusqu'à ce que Everspring et le parc de la ville commencent à prendre leur aspect final.

Maintenant que le plus gros du travail était terminé, il lui était difficile de ne pas penser à Jack. Difficile de ne pas se rappeler ses baisers, ses caresses. Et de ne pas se maudire d'avoir choisi cette petite orchidée violette qui avait engendré un désastre, au dernier moment.

Il lui avait fallu longtemps pour comprendre l'impair qu'elle avait commis. Jack avait déjà sauté dans son taxi, direction l'aéroport. Elle-même était au volant de sa Thunderbird, filant vers Everspring, avec, sur le siège passager, l'orchidée comme compagne de route. Une petite fleur pleine de cran, dont l'odeur emplissait tout l'habitacle.

Et c'était cette odeur qui avait produit le déclic en elle !

Chaque fois que leur rendez-vous revêtait un aspect formel, Remi lui offrait une orchidée qu'il accrochait à sa boutonnière. L'odeur de l'orchidée était donc un parfum qu'elle associait à Remi.

Et Jack le savait.

Inconsciemment, durant cette minute qui avait tout fait basculer dans la relation qui s'ébauchait entre Jack et elle dans la pépinière, elle avait pensé à Remi. Ce dont Jack n'avait pas été dupe.

Quelle impardonnable erreur ! Elle devait trouver de toute urgence une façon de se faire pardonner. Il fallait qu'elle discute avec Jack, qu'il la comprenne. Elle avait pendant si longtemps associé l'amour et le romantisme à Remi qu'il lui faudrait un certain temps pour modifier ces schémas émotionnels si profondément ancrés en elle.

Elle était prête à changer d'état d'esprit. Oui, elle voulait bien essayer. Lorsque Jack avait effleuré sa peau de ses doigts, ce jour-là, c'était la première fois qu'elle ressentait un désir réel, puissant, pour un autre que Remi. La première fois qu'elle ne battait pas en retraite pour se réfugier dans ses souvenirs.

C'était un début. Jack accepterait-il cet état de fait ? Du moins pour l'instant ?

Au fond de son cœur, elle savait bien que non. Jack était un homme intransigeant.

Bon, elle devait absolument rentrer chez elle. Il fallait qu'elle prépare le dîner pour Liza, et peut-être pour Tommy, si Annie n'était pas venue le chercher.

L'heure du dîner, c'était comme l'été : elle arrivait en fonction de son propre planning, pas du vôtre.

Soudain, elle sentit le sol vibrer sous elle, comme si quelqu'un arrivait en courant. Qui cela pouvait-il être ? De nouveaux problèmes de dernière minute avaient-ils surgi ? Se relevant promptement, elle commença à retirer un gant…

C'était Jack qui se rapprochait à grandes enjambées. Quel sportif ! Quand il arriva à sa hauteur, il n'était pas le moins du monde essoufflé.

— Molly, as-tu vu Tommy ou Liza ? demanda-t-il sans préambule. Sont-ils avec toi ?

Molly se figea, un gant à la main, l'autre non encore retiré.

— Non, dit-elle en s'efforçant de rester calme.

Tommy avait sûrement oublié de préciser à sa mère qu'il était à la plantation et Annie, morte d'inquiétude, avait dépêché Jack auprès d'elle.

— Ils sont à la plantation, poursuivit-elle. Tommy est venu jouer avec Liza et Lavinia les surveille.

Elle aperçut une lueur sombre dans les yeux de Jack. Alors, une insidieuse panique se propagea à son être…

— Qu'y a-t-il ? Lavinia ne sait-elle pas où ils sont ?

— Je suis sûr que tout va bien, dit-il en posant une main rassurante sur le bras de Molly. Visiblement, ils se sont éloignés de la plantation. Ils jouaient près de la rivière, et ils étaient censés avertir Lavinia s'ils changeaient d'endroit.

Molly se dégagea de son étreinte et retira son deuxième gant. Les jetant par terre, elle se précipita vers la Thunderbird. Il lui emboîta le pas sans mot dire.

— Nous allons les retrouver, Mo.

— Bien sûr ! Les enfants font souvent ce genre d'escapade…

Il était évident, même à ses propres oreilles, qu'elle cherchait à se rassurer.

— … Ils devaient jouer à je ne sais quel jeu et ils se sont éloignés sans faire attention. Quand Liza est sur la planète Cuspiane, elle oublie tout.

— J'en suis également convaincu, affirma Jack en lui ouvrant la portière passager.

Mais, quand il s'installa derrière le volant et qu'il mit le moteur en route, elle constata qu'il serrait les mâchoires.

— Tu es inquiet…

Les mots étaient sortis malgré elle, et ils sonnaient comme une accusation. Elle avait espéré qu'il lui dirait de ne pas dramatiser. Or, l'attitude de Jack indiquait précisément le contraire.

— Pourquoi ? Penses-tu qu'il leur soit arrivé quelque chose ? Ne crois-tu pas qu'ils ont tout simplement perdu la notion du temps ?

— Probablement, dit-il d'un ton neutre.

Il lui jeta alors un regard oblique.

— Je ne suis pas réellement inquiet, Mo, juste un peu soucieux. Cela ne ressemble pas à Tommy.

— Ah bon ? rétorqua-t-elle, surprise. J'aurais juré le contraire. Il est si, si turbulent !

— Turbulent, il l'est effectivement, admit Jack en fixant la route. Mais il n'est pas cruel. C'est pourquoi je me fais du souci. Il sait parfaitement que sa mère doit se faire un sang d'encre et il l'aime trop pour la peiner de façon délibérée. En outre, il savait qu'elle devait venir le chercher à 18 heures, et il a toujours hâte de la voir.

Molly tenta de concilier cette explication avec le petit effronté qu'elle connaissait. Cela ne collait pas.

— Difficile à croire, si l'on en juge d'après le comportement de Tommy. Il semblerait que, toi, tu le comprennes mieux que quiconque.

— Je te l'accorde, Tommy est parfois difficile. Cela ne signifie pas pour autant qu'il soit dépourvu de bon sens, répondit sèchement Jack. Il parle beaucoup, mais il connaît les limites à ne pas franchir.

Jack semblait bien sûr de lui. Et alors, si Tommy n'aurait pas causé du souci de façon délibérée à sa mère, quelle solution cela laissait-il ?

Molly essaya de respirer calmement pour refouler le sentiment de panique qui ne cessait de croître en elle.

— Dans ces conditions, que leur est-il arrivé, à ton avis ?

— Je l'ignore…

Jack roulait prudemment, mais vite. Ses mains agrippaient fortement le volant et ses doigts paraissaient tout pâles sur le cuir noir.

— Nous avons déjà appelé leurs amis. Annie et Lavinia font le tour de la plantation. Il se peut d'ailleurs que Ross soit arrivé pour se joindre aux recherches.

Où pouvaient-ils donc être ? Molly avait beau se creuser le cerveau, aucune idée de génie ne lui venait. Ce genre d'escapade ne ressemblait absolument pas à Liza non plus. Pas du tout.

— Peut-être que..., commença Jack.

Molly tourna la tête dans sa direction. Avait-il une idée ?

— Tu as dit que, lorsque Liza était sur la planète Cuspiane, elle oubliait tout. Parle-moi de cette planète. A quoi ressemble-t-elle ? A quel genre de jeux se livre-t-elle, quand elle s'y trouve ?

Molly ne comprenait pas très bien où il voulait en venir, mais elle ne perdit pas de temps à lui poser des questions. Elle se mit à décrire la planète, ses trois lunes dorées, ses arbres avec leur feuillage de la couleur de l'arc-en-ciel. Les marais des Roudeboue et les montagnes des Chantsaule. Et, bien sûr, la dernière trouvaille, les grottes glaciaires dans lesquelles le pauvre roi Chantsaule avait été piégé tout dernièrement.

Jack l'écoutait attentivement, visage impassible, jusqu'à ce qu'elle évoque les grottes. Et, quand elle mentionna l'intérêt que ces fameuses grottes avaient éveillé chez Tommy, au point qu'il en avait fait le sujet de son projet de sciences naturelles, Jack lui lança un coup d'œil, subitement alarmé...

— Bon sang, bien sûr ! s'écria-t-il en frappant le volant.

Il braqua vivement à gauche et la Thunderbird s'engagea dans un petit chemin escarpé.

— Cela vaut la peine d'aller voir.

— Mais de quoi parles-tu donc, enfin ?

— Pas loin de la rivière, il y a un promontoire qui abrite plusieurs petites grottes. Il est possible que Tommy ait entraîné Liza à l'intérieur...

— Une grotte ? répéta Molly.

Le mot à lui seul évoquait un labyrinthe de danger et de désolation. Elle serra le poing contre sa bouche.

— ... Il ne l'aurait tout de même pas conduite dans une grotte ?

Tout en gardant le regard rivé sur la route, Jack lui toucha gentiment le bras et lui assura :

— Ce sont des grottes minuscules, Mo. Des cavités dans la roche. Ils ne peuvent pas s'y égarer.

Elle tenta de s'en persuader. Si c'était juste une petite grotte, effectivement, ils n'avaient pas pu se perdre.

Mais alors, pourquoi n'étaient-ils pas rentrés à la maison ?

12.

Bien que Jack ne perde pas une minute et qu'il conduise avec une concentration extraordinaire, il leur fallut une bonne demi-heure pour atteindre le promontoire qui surplombait la rivière, de sorte qu'il était presque 18 h 30.

Molly contemplait d'un air absent le soleil qui commençait à disparaître à l'ouest, rongée par l'anxiété et remerciant le ciel qu'il ne fasse pas encore nuit. Les nuages s'étaient teintés d'une couleur qui lui rappelait les ocres de la planète Cuspiane.

Elle sortit de la voiture pour suivre Jack qui se dirigeait, sans attendre, vers le pied du promontoire. Cela faisait des années qu'il n'était pas venu par ici, et le promontoire abritait une douzaine de grottes. Elle se mit à appeler Liza, tandis que Jack descendait plus bas vers la rivière, criant le nom de Tommy. Le vent frais du soir sur son visage l'apaisait, accompagné de la crainte qu'il n'emporte au loin le son de sa voix…

Tout à coup, elle crut entendre la voix ténue de Liza.

— Maman ?

Avait-elle bien entendu ?

Cela aurait parfaitement pu être un oiseau. Ou le sifflement du vent. Pourtant, d'instinct, elle sut qu'il s'agissait de Liza. Oui, ce ne pouvait être que sa fille. Un incroyable soulagement la submergea.

— Maman ? Nous sommes ici.

Immédiatement, elle appela Jack et ils s'élancèrent tous deux vers l'endroit d'où provenait la petite voix.

Molly ne cessait de répéter à sa fille qu'elle arrivait, et Liza lui répondait afin de la guider jusqu'à elle.

Molly préférait ne pas s'interroger sur la raison qui empêchait Liza de venir à leur rencontre. Elle entendait sa voix et cela lui suffisait, même s'il était manifeste que la fillette donnait le change en s'efforçant de prendre un ton normal.

Enfin, ils la repérèrent. Elle était assise dans l'herbe, à l'entrée d'une grotte. Elle se trouvait si près de Tommy que son pied touchait l'épaule du petit garçon. Il paraissait dormir, mais il avait le visage maculé de terre et portait des traces d'égratignures. Sa jambe était par ailleurs inclinée selon un angle surprenant…

En apercevant sa mère, Liza se redressa, sans pour autant quitter son poste.

— Maman ! redit-elle.

Cette fois, on distinguait des sanglots dans sa voix. A présent que les adultes les avaient retrouvés, elle n'était plus obligée d'être aussi courageuse.

Avoir été champion de sprint à dix-huit ans donna à Jack l'avantage d'arriver avant Molly auprès des enfants.

Il serra Liza dans ses bras tout en se penchant vers Tommy…

— Stewball est rentré à la maison, mais j'ai promis à Tommy que je ne l'abandonnerais pas, expliqua Liza entre deux sanglots.

Les larmes longtemps retenues sortaient maintenant en abondance, de sorte qu'elle haletait en parlant.

— Je crois… je crois qu'il avait peur de rester tout seul. Mais je savais que vous alliez venir. Je savais que vous nous retrouveriez.

Ce disant, elle adressa un sourire de véritable vénération à Jack.

— Bien sûr, ma chérie, dit-il d'une voix rauque en la serrant dans ses bras. Tu peux toujours compter sur nous. Maintenant, peux-tu me raconter ce qui s'est passé, ainsi que ce qui est arrivé à Tommy ?

Molly les avait finalement rejoints. Maintenant que Jack était arrivé pour prendre le relais auprès de Tommy, Liza pouvait abandonner son poste de garde-malade. Aussi se leva-t-elle pour se jeter dans les bras de sa mère et ce fut blottie dans la chaleur réconfortante de celle-ci qu'elle répondit aux questions de Jack.

— Nous faisions semblant de nous bagarrer sur la falaise, commença-t-elle. Nous combattions les Roudeboue. Malheureusement, Tommy a glissé et il est tombé devant la grotte. Il a sûrement la jambe cassée ; je suis sûre que cela lui fait très mal car, depuis un petit moment, il s'est évanoui.

— Il ne s'est pas évanoui en tombant ? Il a continué à parler un peu après sa chute, n'est-ce pas ?

Le sang-froid de Jack impressionnait Molly. Elle l'observait en train de tâter d'une main experte le corps du petit garçon.

— Oui, il m'a parlé, affirma Liza. Il m'a dit que sa jambe lui faisait drôlement mal.

Maintenant qu'elle s'était calmée, Molly voyait que la poitrine du petit garçon se soulevait et s'abaissait avec une régularité rassurante. Il avait probablement une jambe cassée, mais il était bel et bien en vie. Elle remercia intérieurement l'ange gardien de Tommy.

Caressant les cheveux emmêlés de sa fille de façon presque compulsive, comme pour se persuader que Liza était bien réelle, elle lui demanda :

— Pourquoi n'es-tu pas allée chercher de l'aide, trésor ? Ne connais-tu pas le chemin pour revenir à Everspring ?

— Si, je connais le chemin ! répondit la fillette en levant un visage inondé de larmes vers sa mère. Mais Tommy avait peur. Il ne voulait pas que je le laisse seul. Il m'avait fait promettre de ne pas l'abandonner.

La fillette était parvenue à se ressaisir un peu. Elle essuya bravement son nez avec le mouchoir que lui tendit sa mère et poursuivit :

— Si vous n'étiez pas arrivés, je sais que j'aurais dû aller chercher de l'aide. Mais j'attendais encore un peu, au cas où Tommy se serait réveillé et aurait eu peur. En fait, j'attendais que le soleil atteigne les branches de cet arbre...

La mère et la fille cessèrent de parler lorsque Jack souleva Tommy dans ses bras ; elles retinrent même leur souffle, comme s'il requérait un silence complet pour une opération si délicate.

Bien que Jack procède avec une extrême délicatesse, le petit garçon poussa un gémissement et ouvrit les yeux... Juste le temps d'apercevoir Jack.

Un sourire éclaira son visage.

— Tu es vraiment le roi Chantsaule, murmura-t-il en laissant sa tête dodeliner mollement contre la poitrine de son sauveur. Liza m'avait bien dit que tu viendrais à notre secours.

— Rentre chez toi, Jack. Il est tard. Tommy va bien, moi aussi, rentre !

Jack leva les yeux vers Annie qui se tenait sur le seuil de la chambre de son fils. Elle avait planté ses mains sur ses hanches pour donner plus de vigueur à ses propos.

Il ne bougea pas du rebord du lit où il était assis ; il se contenta de lui adresser un sourire qui indiquait qu'il n'avait pas peur d'elle. Elle fanfaronnait, comme son fils ! Néanmoins, Jack savait qu'elle avait été bouleversée par les événements de l'après-midi. Il était près de 9 heures du soir et elle n'avait même pas encore retiré la blouse orange qu'elle portait au travail.

Annie était une fille admirablement solide. A l'hôpital, pendant que le docteur « remettait en place » la jambe de Tommy, elle avait tenu à rester près de lui alors que Jack s'était offert pour la remplacer — il se souvenait, pour l'avoir lui-même vécue, enfant, que ce n'était pas une expérience des plus agréables. Annie n'avait rien voulu entendre. Elle était ressortie de la salle d'opération livide, mais elle avait tenu bon et n'avait fait aucun commentaire.

Tommy tenait de sa mère. Son visage était un peu plus pâle que d'ordinaire, mais, à part cela, il ne paraissait pas terriblement affecté par les événements de la soirée.

— Bon, le dragon me chasse, déclara Jack d'un ton pince-sans-rire au petit malade. Tout va bien ? Tu n'as besoin de rien ?

Le garçon lui adressa un sourire, puis il prit une mine dramatique pour répondre :

— Maintenant que j'ai une triple fracture à la jambe et que je ne peux plus ni aller dehors, ni me promener, ni rien, tout ce qui me reste, ce sont mes mains. La seule chose que je puisse faire, c'est jouer aux jeux vidéo. Le problème, c'est que les miens ne sont pas très intéressants…

— O.K., dit Jack en riant. Qu'est-ce que tu veux ?

Tommy abandonna immédiatement le rôle du pitoyable invalide pour répondre précipitamment :

— Je voudrais Vampire Blaster et aussi...

— N'y pense même pas ! interrompit Annie. Et quant à toi, Jack, abstiens-toi, sinon tu auras affaire à moi.

Jack adressa un regard contrit à l'enfant.

— Désolé, champion, ta mère n'est pas d'accord.

— Quel couard, tu fais, Jack ! répliqua Tommy avec une grimace dégoûtée. Franchement, avoir peur d'une fille...

— Je ne suis pas une fille, Thomas Cheatwood, mais ta mère, lui rappela sèchement Annie. Jack est suffisamment intelligent pour comprendre que je ne plaisante pas, et, si j'étais toi, je l'imiterais. Si tu recommences un exploit comme celui de cet après-midi, je te préviens, je...

Elle sourcilla, furieuse, essayant de trouver une punition en adéquation avec le terrible choc qu'elle avait ressenti en apprenant la nouvelle.

— Si tu recommences à me faire peur comme ça, je...

A la grande surprise de Jack, les yeux d'Annie étaient devenus brillants... Il la fixait, incapable de se rappeler avoir déjà vu des larmes dans son regard, même dans les pires moments de son existence.

Agacée par cet instant de faiblesse, Annie haussa les épaules et, d'un geste méprisant de la main, elle envoya Jack et Tommy au diable, avant de sortir tête haute de la pièce.

Ils échangèrent un regard évocateur, puis Jack tapota la tête de Tommy en guise d'au revoir et rejoignit Annie dans le salon.

— Rentre chez toi, Jack, lui redit-elle. J'ai hâte que tu sois parti et qu'il soit endormi pour enfin me retrouver seule !

— Je m'en vais, répondit doucement Jack. Promets-moi de m'appeler si tu te ravises et que tu as besoin de quelque chose.

Elle opina du chef sans le regarder et ordonna :

— Maintenant va-t'en !

Il obtempéra, mais, une fois devant la porte, il ne put s'empêcher de se retourner pour répéter :

— Annie, s'il y a quoi que ce soit, appelle-moi ! Promets-le-moi…

Elle daigna enfin regarder Jack. Ses yeux étaient secs, à présent. Son regard reflétait cependant la peur et la fierté qu'il y avait vues en ce jour terrible, dix ans plus tôt, quand elle était venue lui annoncer qu'elle était enceinte.

— J'ai besoin d'être seule, dit-elle.

Assise à la table de la cuisine en compagnie de Liza, Molly essayait de l'intéresser au dessin d'un château sur la planète Cuspiane. Elle avait sorti tous les feutres que la fillette possédait pour donner plus de piquant à l'activité. Elle avait même posé la boîte de paillettes sur la table. Rien n'y faisait ! Ce soir, Liza n'était décidément pas d'humeur à dessiner.

— Pourquoi ne peut-on pas téléphoner chez Tommy ? demanda-t-elle pour la quatrième fois.

Cela non plus ne lui ressemblait guère. Elle n'était pas du genre à gémir ou à s'obstiner une fois qu'on lui avait donné une réponse, même si celle-ci ne lui convenait pas.

— Je veux juste savoir s'il va bien, maman.

— Ma chérie, il se peut qu'ils soient encore aux urgences. Et s'ils sont rentrés, inutile de les harceler. Ils doivent être fort occupés à installer Tommy dans son lit.

Liza poussa un long soupir et, quittant la table, se dirigea vers le sofa où elle se recroquevilla dans un angle, sa chemise de nuit bien ramenée sous ses pieds. Elle avait l'air si triste, ses yeux étaient si vides, que Molly en avait le cœur serré.

— Jack va appeler, promit-elle.

Du moins l'espérait-elle. Ni elle et Liza ne faisaient réellement partie de la famille, en dépit de l'amitié étroite qui unissait les deux enfants. Et en dépit des sentiments qu'elle éprouvait pour Jack, même après l'incident de la pépinière...

En réalité, Liza et elle n'étaient que des visiteuses. Aujourd'hui, elles se trouvaient par un hasard de circonstance à Everspring ; dans un mois, elles seraient de retour à Atlanta. Elles n'étaient pas habilitées à prendre part au drame que vivait la famille de Tommy.

Et pourtant, en marge de ce raisonnement objectif, Molly restait convaincue que Jack sentirait la tristesse de Liza et qu'il viendrait rassurer la fillette.

— Dès qu'il le pourra, Jack téléphonera, lui assura-t-elle de nouveau.

La promesse répétée parut convaincre sa fille, qui accepta de manger un peu de pâtes. Elle prit ensuite un livre, non sans lancer toutes les deux minutes un regard vers le téléphone.

Quand, vers 22 heures, des pas retentirent à l'extérieur, Liza bondit du sofa et se précipita vers la porte d'entrée dans un état d'excitation tel que Molly ne put que prier pour qu'il s'agisse effectivement de Jack.

C'était bien lui.

— Jack ! s'écria Liza, transformée par la joie. Je savais que tu viendrais.

A cette phrase, le cœur de Molly se serra. La voix de sa fille résonnait d'une confiance aveugle en Jack.

Un torchon à la main, elle assista à la scène de leurs retrouvailles. Liza se jeta au cou de Jack qui la souleva et la fit tournoyer dans ses bras, lui arrachant des cris de joie.

De nouveau, la conscience de Molly la tirailla. Avait-elle commis une erreur en restant si longtemps à Everspring ? Elle savait bien que revenir ici constituait un risque, mais elle croyait être la seule concernée... Or, il se pouvait maintenant que le retour à Atlanta brise le cœur de sa fille.

Elle savait pourtant bien que Liza rêvait d'un père ! Comment était-il possible qu'elle n'ait pas compris, avant de revenir à Everspring, que Jack Forrest représenterait le candidat parfait aux yeux de Liza ?

Molly tenta alors de justifier l'enthousiasme de Liza à l'arrivée de Jack.

— Liza s'inquiétait terriblement au sujet de Tommy. Nous espérions que tu allais venir nous donner de ses nouvelles.

— Il va bien, commença Jack.

A cet instant, il reposa Liza par terre, et cette dernière le conduisit d'autorité vers le sofa. Il se laissa faire et s'assit près d'elle.

— Il a trois fractures à la jambe, mais il essaie déjà de calculer comment il va faire pour tuer le temps. Avant que je parte, il avait déjà essayé d'obtenir de moi un jeu vidéo.

— Vampire Blaster, je parie, fit Liza. C'est vraiment le pire. Junior Caldwell l'a déjà. C'est son père qui lui a offert et il n'arrête pas de s'en vanter.

— C'est effectivement celui-ci qu'il a réclamé, répondit Jack. Mais, sa mère n'étant pas d'accord, je ne peux pas le lui offrir.

Il regarda sa montre et ajouta :

— As-tu veillé pour avoir des nouvelles de Tommy ? Car je présume que ton heure habituelle de coucher est largement dépassée.

Jetant un regard inquiet à sa mère, Liza répondit :

— Oui, mais je ne peux pas aller au lit tout de suite, j'ai encore des dizaines de questions à te poser sur Tommy.

— Liza..., commença Molly.

— J'ai une idée, déclara Jack. Je vais te border et, au lieu de te lire une histoire, je te raconterai en détail ce qui est arrivé à Tommy aux urgences. D'accord ?

— Jack, ce n'est pas la peine, intervint Molly.

Il avait l'air très fatigué et avait sûrement envie de rentrer chez lui.

— Maintenant que nous savons que tout est rentré dans l'ordre, Liza peut attendre demain pour les...

— Maman ! S'il te plaît...

— Cela ne me dérange pas, Mo, assura Jack. La journée a été également difficile pour Liza, elle a besoin d'être un peu dorlotée.

Ce fut l'heure la plus longue de sa vie.

Elle fit la vaisselle. Plia le linge. Envoya une télécopie qui aurait pu largement attendre à son associée, à Atlanta, et régla des factures dont le paiement n'était pas exigible avant le mois suivant. Elle redonna du gonflant aux coussins du canapé, puis se mit à feuilleter sans les voir ses esquisses pour Everspring.

Durant tout ce temps, ses pensées étaient dans la chambre, près de Jack et de Liza. Elle entendait des éclats de rire, et était frustrée de ne pouvoir partager leurs blagues. Puis elle distinguait des murmures, et était dépitée d'être tenue à l'écart des secrets qu'ils échangeaient.

Elle passa plus de fois que nécessaire devant la porte entrouverte de la chambre, juste pour le plaisir doux-amer de voir Jack assis sur le rebord du petit lit.

Assez ! s'ordonna-t-elle. Qu'est-ce qu'elle était en train de s'imaginer ? Etait-elle devenue aussi irréaliste que Liza ? Elle soupira. Jack cadrait si parfaitement bien dans le décor, avec les lunes mouvantes de Cuspiane qui lançaient des éclats dorés sur les deux têtes blondes de ses habitants…

Il semblait si naturel, si légitime de voir Liza papoter joyeusement, et Jack l'écouter en souriant. Il avait l'air si à l'aise. Si décontracté…

Comme un père. Comme s'il avait bordé son enfant tous les soirs pendant neuf ans.

Au fond, n'en avait-il pas l'habitude ? D'après Annie, il avait bordé Tommy de nombreuses fois, quand ce dernier était plus petit.

Et, ensuite, rejoignait-il Annie dans son lit ?

Cette pensée lui avait traversé l'esprit des dizaines de fois auparavant sans jamais s'y attarder. Or, ce soir-là, elle s'y implanta et, telles les racines d'une fleur vénéneuse, envahit toutes ses pensées…

Elle eut beau essayer, elle ne parvint pas à l'en déloger.

Que Jack et Annie aient un passé, cela ne la préoccupait pas outre mesure. Les origines de Tommy ne la perturbaient pas davantage, même s'il était évident que Jack était son père. Il prenait soin du petit garçon et était réellement attaché à lui. Elle ne doutait pas qu'un jour Jack lui expliquerait pourquoi sa paternité devait rester secrète.

Non, ce n'était pas le passé qui la tracassait. Ce qu'elle redoutait, c'était le présent. Elle ne supportait pas l'idée qu'aujourd'hui, cette nuit, demain, Jack soit encore l'amant d'Annie.

Elle ne voulait pas qu'il appartienne à une autre. Ce qui s'était passé entre eux dans la pépinière, avant qu'elle ne gâche tout avec l'orchidée, n'était pas un épisode absurde, dû au parfum des fleurs qui leur aurait fait tourner la tête. C'était un moment de vérité.

Un moment durant lequel elle s'était avoué à elle-même qu'elle avait désespérément envie de faire l'amour avec Jack Forrest.

Quoi de plus naturel, de plus humain ?

Jack n'était pas seulement un homme terriblement séduisant, il était aussi foncièrement bon. Quant à elle, même si depuis dix ans, au nom de sa fille, elle avait été uniquement une mère, elle savait bien qu'elle ne pourrait pas encore longtemps réfréner son besoin d'une vie amoureuse...Et, entre les bras de Jack, elle s'était sentie de nouveau femme.

Abandonnant toute prétendue occupation, elle s'assit sur le canapé, résolue à parler à Jack lorsqu'il sortirait de la chambre de Liza.

Il surgit sur le seuil du salon sans faire de bruit, comme s'il craignait de réveiller Liza qui venait juste de s'endormir. Il avait sûrement oublié ce que Molly lui avait dit à ce propos, à savoir que sa fille avait un sommeil imperturbable. Une chorale aurait pu chanter dans sa chambre, elle n'aurait rien entendu.

Molly avait espéré qu'il s'assiérait près d'elle, mais il n'en fit rien. Mains dans les poches, il s'était appuyé contre le chambranle, comme un hôte bien élevé qui s'apprêtait à partir par peur de déranger.

Comme il était beau ! pensa-t-elle. Il portait une chemise en flanelle vert et beige, ouverte sur un T-shirt couloir ivoire, et un jean noir.

— Liza a l'air de s'être remise, dit-il. Et toi, Mo, ça va ?

Sa question était polie, rien de plus. C'était comme si eux, autrefois les meilleurs amis du monde, étaient devenus d'affables étrangers l'un pour l'autre.

— Je vais bien, répondit-elle.

— Parfait.

— Je suis heureuse que tu sois passé, déclara-t-elle vite avant de perdre courage, car il faut que je te parle. J'ai quelque chose de très important à te dire.

— Je t'écoute.

Molly se lança :

— Je voulais te dire que j'ai enfin compris ton brusque changement d'humeur, dans la pépinière. Tu as cru que, si je choisissais une orchidée, c'était parce que je pensais toujours à Remi, qu'il me manquait. Or, après ce qui...

— Oui, même après ce qui s'était passé entre nous ! la coupa-t-il. Allons, c'est sans importance, Mo. J'aurais dû me douter que les choses en allaient ainsi, que rien n'avait changé.

— Non ! C'est précisément le contraire que j'essaie de t'expliquer. Tu t'es trompé, Jack. Complètement trompé. Je ne pensais pas à Remi, mais à toi.

Il la regarda droit dans les yeux et déclara d'une voix neutre :

— J'aimerais le croire, mais les faits prouvent tout simplement le contraire.

— Tu dois pourtant le croire, car, si cette femme n'était pas arrivée, je...

Elle s'interrompit. Avant d'admettre qu'elle le désirait, elle devait le questionner au sujet d'Annie. Elle ne pouvait pas prendre des engagements avec lui s'il en avait déjà avec une autre.

— Mais je suis finalement heureuse que nous ayons été interrompus, car, avant d'entamer une relation sérieuse, toi et moi, nous devons discuter de certaines questions. J'ai besoin de savoir... Je dois être sûre que...

Aïe ! Que c'était compliqué !

— Y a-t-il une raison qui fait que nous ne pourrions pas sortir ensemble ?

— Que veux-tu dire ? demanda-t-il, tendu.

— Nous devons être honnêtes l'un envers l'autre, Jack, je ne veux pas te prendre à une autre...

Elle baissa les yeux, considéra ses mains qu'elle serrait nerveusement. Il était ridicule de tourner autour du sujet de cette façon. Elle était adulte, Jack aussi. Il était temps qu'ils se parlent en toute franchise.

— Tu n'as pas besoin de me le dire, je sais que Tommy est ton fils et je sais aussi que tu l'aimes énormément. Je ne m'interposerai jamais entre vous, tu peux en être sûr. Ce que j'ignore en revanche, c'est si, entre toi et Annie... si elle pense que... si elle espère que...

Elle s'interrompit de nouveau. Il n'était pas facile de formuler ce qu'elle avait sur le cœur. Elle leva lentement la tête vers lui, espérant qu'il comprendrait.

Le visage de Jack était livide. Et soudain, à son grand étonnement, il se mit à rire. Un rire qui était loin d'exprimer la joie. Un rire qui lui glaça le sang.

— Qu'y a-t-il ?

Instinctivement, elle avait croisé les bras pour se protéger, comme si ce curieux rire était une arme qui pouvait la blesser.

— Qu'ai-je dit de drôle ?

— Ainsi, tu sais que Tommy est mon fils ?

Rejetant la tête en arrière, Jack émit de nouveau ce rire qui lui donnait la chair de poule. Lorsqu'il redressa la tête, son visage affichait un masque de déception et de dégoût.

— Tu sais que Tommy est mon fils, répéta-t-il. Et comment le sais-tu, exactement ?

— Je…

Elle s'était mal exprimée. Elle n'avait pas voulu le stigmatiser. Non, elle désirait juste bannir toute fausse pudeur, afin de balayer tous les secrets et les mensonges entre eux.

— Je ne sais rien de manière officielle, Jack. Tu es très proche de lui. Et, même sans cela, c'est frappant. Tout le monde peut voir que…

— Quoi ?

C'était ridicule. Allait-il nier l'évidence ?

Les yeux verts et le profil arrogant de Tommy constituaient une preuve flagrante. Cet adorable petit garçon aux jambes élancés avait l'héritage de Jack imprimé sur le corps, comme si on lui avait suspendu un panneau autour du cou proclamant qu'il était un Forrest.

— Pour l'amour du ciel, Jack, sois raisonnable, commença-t-elle doucement. Regarde-le. Regarde ses yeux. Cette teinte si particulière…

— Ah !

Le sourire de Jack était amer, son ton sarcastique.

— Mon Dieu, avec toi, la justice serait rendue rapidement ! Une couleur d'yeux suffirait.

— Je ne rends aucune sentence, Jack, et cette couleur, ce n'est pas un hasard. Elle est aussi significative qu'une empreinte de doigt, et tu le sais.

— Peux-tu affirmer que je sois le seul homme de Caroline du Sud à posséder cette teinte si particulière ?

Elle releva la tête. Elle n'aimait pas qu'on lui raconte des mensonges, surtout sur un ton si suffisant.

— Oui, dit-elle d'un ton catégorique. Objectivement, oui !

Alors, plongeant ses fameux yeux dans les siens, Jack demanda :

— Et dix ans plus tôt, Mo ?

Son sourire se fit aussi glacial que l'hiver quand il ajouta :

— ... Combien étions-nous à pouvoir nous enorgueillir de cette teinte si particulière ?

13.

— C'est très aimable à toi d'avoir apporté ce jeu vidéo de vampires à mon cher ange, déclara Annie d'un air moqueur, en sirotant son thé brûlant à la cannelle. J'ai cependant l'impression que cette petite visite cache autre chose. Est-ce que je me trompe ?

— Non, admit Molly, rougissante. Mon Dieu ! Je fais réellement une piètre menteuse.

— C'est vrai, approuva Annie en riant.

Elle croisa les jambes, fit doucement tournoyer son thé dans sa tasse puis, souriant à son invitée, ajouta :

— Il faut dire que l'on m'a un peu aidée. J'ai eu un appel de ce bon vieux Jack, hier soir.

— Oh...

Molly considéra Annie un instant, se demandant ce qu'elle devait répondre. Au fond, elle n'aurait pas dû être surprise. C'était Jack tout craché. Il savait toujours avant elle ce qu'elle allait faire.

— Qu'a-t-il dit ?

— Que tu viendrais sûrement me rendre visite et qu'il se pouvait que tu me poses quelques petites questions au sujet de la probabilité statistique d'hériter des yeux d'un vert particulier.

Molly avala à son tour une gorgée de thé, à la fois pour cacher son embarras mais aussi pour se réchauffer.

Annie, ayant anticipé la teneur intime de leur conversation, l'avait invitée à prendre le thé sur la terrasse. Mais la matinée était fraîche, plus digne d'un jour d'hiver que de printemps ! D'ailleurs, Molly s'était levée à l'aube pour aller vérifier que les plantes du parc n'avaient pas été victimes d'une gelée nocturne. En réalité, elle n'avait pas pu fermer l'œil de la nuit.

— Et t'a-t-il expliqué pourquoi j'allais te poser ces questions ?

— Oui. Tu sais, Jack est incapable de tenir sa langue.

— Annie, je suis désolée. Je sais que c'est une impardonnable indiscrétion de ma part et que j'exige beaucoup, mais je dois savoir... Je veux connaître la vérité et j'espère que tu vas accepter de m'aider.

Croisant le regard sardonique d'Annie, elle crut qu'elle allait manquer de courage pour continuer. Mais il s'agissait de son futur, elle ne pouvait s'arrêter maintenant dans sa quête de la vérité.

— Je comprends que tu ne souhaites pas que l'identité du père de Tommy soit divulguée, et je t'assure que je respecterai ce vœu. Je ne répéterai jamais à personne qui...

— Assez ! A moi d'être honnête avec toi, Molly. Cela m'est égal que tu le saches, d'ailleurs, étant donné la situation, cela me semble tout à fait légitime. J'espérais épargner Tommy le plus longtemps possible. Je voulais qu'il soit un petit garçon comme les autres. Mais, visiblement, les Forrest ne peuvent jamais être comme les autres. Il n'y a rien à faire...

Un sourire éclaira son visage.

— … De toute façon, personne n'est dupe à Demery. Sans vouloir t'offenser, tu étais sûrement la seule dans cette ville qui n'avait pas encore compris.

— Je ne suis pas vexée, je sais bien que j'ai été incroyablement crédule.

— Jack a une bonne part de responsabilité dans cette situation. Je n'ai cessé pourtant de l'encourager à te dire la vérité. Mais tu le connais. Avec sa noblesse d'âme, il avait des scrupules à t'enlever tes illusions sur le beau Remi étant donné que lui-même en pince pour toi.

Molly se tenait immobile, pétrifiée ; elle avait l'impression qu'au moindre mouvement elle allait s'effondrer en mille morceaux.

— Donc, c'est bien vrai ? dit-elle en reposant lentement sa tasse sur la table. Tommy et Remi… ? Enfin, je veux dire, toi et Remi…

— Oui, répondit doucement Annie. C'est vrai. Désolée…

— Ce n'est rien, dit Molly en se levant, incapable de rester assise plus longtemps. Je t'assure, ce n'est rien.

Même après l'avoir entendu de la propre bouche d'Annie, elle n'arrivait toujours pas à le croire.

Annie et *Remi*.

Elle avait passé la nuit à faire et refaire les calculs. Même en incluant des petites marges d'erreur, elle en arrivait toujours au même résultat.

Tommy avait été conçu juste quelques semaines avant qu'elle-même ne se donne à Remi, sur la pelouse d'Evers-pring.

Mon Dieu ! Et dire qu'elle avait traversé toute la ville en larmes, tremblante, dans sa robe de soie jaune pour consoler un homme qui…

Quelle gourde elle avait été !

Le plus beau souvenir de sa vie était devenu... une farce ! Une mauvaise farce, qui, sans la dramatique intervention du destin, aurait procuré à Remi matière à se vanter, la vertu excessive de Molly étant légendaire dans son cercle d'amis.

Ce qu'elle avait cru être une expérience sacrée, un moment partagé de rare bonheur et d'engagement mutuel, n'était pour Remi qu'une partie de jambes en l'air de plus !

— Ne le prends pas si tragiquement, ma chérie, lui conseilla affectueusement Annie. Tu peux me croire, ce garçon ne te méritait pas.

Molly secoua la tête. Elle n'osait pas ouvrir la bouche par crainte d'éclater en sanglots. Pas devant Annie. Jamais, d'ailleurs, si elle le pouvait.

— C'était un véritable goujat, tu sais, poursuivit Annie. Quand il a commencé à flirter avec moi, il s'est fait passer pour Jack. Je pense que cela lui arrivait souvent. Il devait estimer qu'étant donné la réputation de son frère un péché de plus ou de moins ne ferait pas de différence pour lui.

Molly regarda Annie d'un air incrédule.

— L'as-tu réellement pris pour Jack ?

— Pendant les premières minutes, oui. Ils se ressemblaient vraiment comme deux gouttes d'eau. Et bien sûr, quand Remi se faisait passer pour Jack, il prenait toujours soin de laisser la bague des Forrest à la maison, pour ne pas se trahir. Mais je connaissais déjà le truc. Tu sais, les hommes mariés qui enlèvent leur alliance et qui pensent que les femmes ne remarqueront pas la petite ligne blanche sur leur annulaire... Ils les prennent vraiment pour des idiotes !

— Certaines agissent de cette manière parfois, tu sais, dit Molly avec un sourire triste.

— Pour ma part, j'ai tout de suite compris le petit jeu de Remi.

— Si tu savais qu'il te mentait, pourquoi l'as-tu laissé…

— Allons, ma chérie, je suis peut-être maligne, mais je n'en suis pas moins humaine, fit Annie, un sourire coquin aux lèvres. Tu sais, comme moi, que les jumeaux Forrest étaient diaboliquement sexy, à l'époque. Je ne crois pas qu'une seule femme en Caroline du Sud aurait été capable de leur résister… A part toi, bien sûr. Mais, franchement, on se demandait si tu étais humaine, autrefois.

— Merci, dit Molly, riant malgré elle. C'est réconfortant !

— Bah, tu vois, toi aussi tu en ris aujourd'hui, dit Annie en lui tapotant l'épaule. Et tu as raison d'en rire. Il faut que tu ris un bon coup pour chasser tous ces souvenirs. Remi ne t'a pas traitée correctement, c'est un fait. Moi non plus, d'ailleurs, et j'en suis désolée. Vraiment…

— Je sais, je sais…

Après quoi, il n'y avait plus grand-chose à ajouter.

Elle se pencha pour ramasser son sac et ses clés.

— Bon, il faut que je retourne à Everspring, j'ai encore beaucoup de choses à faire avant samedi.

— Entendu, dit Annie, sans chercher à la retenir. Si tu as envie d'en rediscuter, ajouta-t-elle cependant, n'hésite pas à revenir. Je suis bloquée à la maison puisque que je dois veiller sur mon petit invalide. Entre nous soit dit un vrai tyran ! J'espère qu'il va rapidement apprendre à se servir de ses béquilles.

— Merci.

Nul doute qu'un jour viendrait où elle voudrait en savoir davantage. Savoir si Annie et Remi se voyaient souvent.

Où, quand… Mais pas maintenant. Maintenant, elle avait déjà trop d'informations à assimiler.

— J'apprécie ton honnêteté, Annie. Sincèrement…

— Il vaut mieux tard que jamais, dit Annie avec un sourire contrit.

— L'ironie de la situation, c'est qu'il ne m'a jamais traversé l'esprit que… enfin que toi et Remi… J'ai toujours pensé que Jack était davantage ton genre d'homme. J'ai toujours cru que tu avais un faible pour les mauvais garçons.

— C'était le cas, admit Annie avec un petit sourire qui trahissait sa vulnérabilité blessée. Ne comprends-tu pas, Molly, que le mauvais garçon, c'était Remi, pas Jack ?

Liza était si excitée qu'elle ne parvenait pas à se concentrer sur son exercice de mathématiques. Mais sa mère était très stricte en ce qui concernait ses devoirs du week-end : elle devait les faire dès le vendredi soir, sinon elle n'avait pas le droit de s'amuser le samedi.

Elle ouvrit son cahier de brouillon et commença à écrire avec application sa division compliquée. 415 divisé par 72… Elle secoua son crayon tout en réfléchissant profondément…

Elle devait absolument se débarrasser de ses devoirs, car le week-end s'annonçait prometteur. Il y avait tant d'événements *cool* en prévision. L'inauguration du parc commençait dès midi, le lendemain, et la fête devait se poursuivre toute la journée jusqu'au soir, où des feux d'artifice seraient tirés. Elle adorait les feux d'artifice. Sur la planète Cuspiane, il y avait tous les soirs des éruptions naturelles de feux d'artifice dorés, dans le ciel.

Ce soir aussi, le programme était génial. Sa mère avait un rendez-vous et tante Lavinia devait s'occuper d'elle.

Rien qu'à cette pensée, Liza avait la sensation de respirer quelques bulles de bonheur. Tante Lavinia était si drôle. Elle avait promis d'apporter les ingrédients nécessaires pour la confection de gâteaux que l'on mangeait uniquement sur la planète Cuspiane. Liza était impatiente de voir l'aspect de ces pâtisseries.

Enfin, ce qui la réjouissait le plus, c'était que sa mère avait de nouveau l'air heureux, alors que, les jours derniers, elle semblait ne plus avoir d'énergie, elle avait l'air perdue.

Liza s'en s'inquiétait, mais tante Lavinia lui avait expliqué que c'était à cause de la pression liée à son travail, puisque tout devait être terminé à la fin de la semaine.

Tante Lavinia devait avoir raison, car, aujourd'hui, sa mère était revenue de l'inspection finale du parc avec un grand sourire aux lèvres. Un sourire très Chantsaule...

— Est-ce que tu veux bien que tante Lavinia vienne s'occuper de toi, ce soir ? Il faut que je sorte, avait dit sa mère en retirant son jean.

Liza était certaine qu'un événement merveilleux allait se produire. Elle le sentait. Quelques minutes plus tard, elle avait entendu sa mère chantonner sous la douche. C'était un très bon signe. Où pouvait-elle bien aller pour être si gaie ?

Quand tante Lavinia arriva, Liza lui posa la question.

— Elle m'a dit qu'elle avait besoin de parler à Jack. C'est tout ce que je sais.

A cet instant, Molly apparut dans l'encadrement de la porte, drapée dans un peignoir en éponge bleue.

— Bonsoir, Lavinia, dit-elle en enroulant une serviette autour de ses cheveux mouillés. Merci de votre aide. Je ne serai pas longue, je vous le promets.

— Je n'en doute pas, ma chérie, dit Lavinia avec un petit sourire entendu. Néanmoins, j'ai apporté ma brosse à dents et ma chemise de nuit, au cas où...

Molly considéra Lavinia, ne sachant si elle devait rire ou se fâcher. Jetant un regard vers Liza qui paraissait absorbée par la résolution de son problème de mathématiques, elle ajouta :

— Mon Dieu, Lavinia, quelle idée ridicule !

Cette dernière se dirigea vers la cuisine où elle déposa ses boîtes en plastique remplies de pâte et de décorations.

— Je préfère me préparer à toutes les éventualités... rétorqua la vieille dame.

Elle lança un coup d'œil malicieux à Molly.

— Et j'espère que toi aussi !

Molly éclata de rire, d'un rire à la fois amusé et surpris.

— Lavinia, vous êtes décidément incorrigible, dit-elle d'une voix curieuse, en resserrant la ceinture de son peignoir. Je vais m'habiller.

Liza lui jeta un regard en coulisse et vit que sa mère était toute rouge.

— Est-ce que tu vas mettre ta robe Chantsaule, maman ?

Parmi toutes les robes de sa mère, c'était sa favorite. Elle était longue et évasée comme une robe de princesse. Et sa couleur bleue était typiquement Chantsaule.

— Non, je ne crois pas. J'ai prévu de mettre ma jupe verte et un pull.

— Oh, maman, s'il te plaît ! Tu es si belle dans ta robe Chantsaule.

— Il fait trop chaud pour porter cette robe. Vous êtes toutes les deux incorrigibles, marmonna Molly.

Liza ne comprit pas réellement le sens de ces paroles, mais quand sa mère revint — au bout d'un long moment — elle avait finalement revêtu la robe Chantsaule.

Liza ne fit aucun commentaire et se contenta de l'admirer, surprise comme souvent que cette parfaite et merveilleuse reine Chantsaule soit aussi sa mère.

Molly s'était fait un chignon lâche et portait du parfum. Quand elle passa devant sa fille pour vérifier si ses escarpins n'étaient pas sous le canapé, elle laissa un agréable sillage de fleurs de printemps, derrière elle.

Liza l'observa plus attentivement. Ce soir, sa mère avait même mis du rouge à lèvres ! Elle qui ne se maquillait pratiquement jamais. Elle prétendait qu'elle ne savait pas se maquiller et que c'était incompatible avec son métier au grand air.

De toute façon, Liza pensait qu'elle n'en avait pas besoin : elle était naturellement belle.

Mais, si sa mère était maquillée, c'était qu'un événement particulier, bien particulier, devait se produire ce soir.

Liza retint son souffle alors que la plus merveilleuse des idées lui traversa l'esprit. Peut-être Jack et sa mère allaient-ils danser... Peut-être qu'ils s'embrasseraient et tomberaient amoureux. Peut-être même qu'ils évoqueraient de se marier...

Après ces réflexions, Liza ne fut plus en état de résoudre le moindre problème : les chiffres dansaient devant ses yeux, son cœur battait si vite dans sa poitrine qu'elle avait l'impression de ne plus rien entendre.

Finalement, Molly trouva ses chaussures et, tout en les enfilant, regarda son reflet dans le miroir. Front plissé, elle toucha nerveusement sa coiffure, puis lissa sa robe, comme si elle craignait que sa mise ne soit pas parfaite.

Elle était magnifique et Liza était si fière d'elle. Elle était certaine que Jack tomberait amoureux de sa mère, ce soir. D'ailleurs, quel homme ne tomberait pas amoureux d'elle ?

— Ne sois pas nerveuse, Molly. Tu es très belle, affirma Lavinia. Le pauvre homme n'a aucune chance de s'en sortir ! Eh bien, est-ce que tu as tout ce dont tu as besoin ?

— Oui, oui, répondit-elle, vaguement agacée.

— Parfait, dit Lavinia en souriant, parce que, quand je suis partie, le pauvre errait près du belvédère et il avait l'air d'avoir le moral à zéro. A mon avis, il va être extrêmement surpris de te voir.

Molly se mordit la lèvre inférieure, hésitante.

Liza regarda attentivement sa mère : jamais elle ne l'avait vue dans un tel état de nervosité.

— Joyeusement surpris, tu crois ? demanda-t-elle en touchant le collier de perles à son cou.

Pourquoi ne cessait-elle de se mordre la lèvre ? pensa Liza, agacée. Elle allait finir par « manger » tout son rouge à lèvres avant que Jack ne le voie.

Lavinia avait dû penser la même chose, car elle déclara :

— Pour l'amour du ciel, Molly, comment le saurais-je ? Cesse de te mordre les lèvres et va le rejoindre !

Il se tenait sur le seuil du belvédère, vêtu de façon décontractée, en pull et en jean, les yeux rivés sur le ciel constellé d'étoiles. Ses mèches dorées, soulevées régulièrement par la douce brise du soir, caressaient son front. Lorsque l'ombre de Molly se profila sur le seuil, il tourna la tête vers elle.

Il ne sourit ni ne la salua.

— Bonsoir, lui dit-elle. Lavinia m'a dit que tu étais ici, alors j'ai pensé que…

— Je suis ici, dit-il d'une voix blanche. Que veux-tu ?

Elle hésita.

— Puis-je entrer ?

Il allait dire non, elle le sentait. Elle le voyait à la façon dont il avait imperceptiblement raidi les épaules et serré les doigts.

— Jack, s'il te plaît...

Il s'écarta légèrement pour qu'elle puisse passer sans le frôler si elle tenait tellement à entrer.

— Que veux-tu encore de moi, Molly ?

— Je suis venu te présenter mes excuses, dit-elle sans bouger.

Comme si le seuil était une ligne magique qu'elle ne franchirait que lorsqu'elle aurait obtenu sa permission expresse.

— Je voulais te dire à quel point je suis désolée. Annie m'a tout raconté, à propos de Remi, comment il...

— J'accepte tes excuses, dit-il sèchement. Autre chose ?

Son impatience cassante la fit hésiter, mais elle passa outre.

— Je sais que mes accusations étaient injustes. T'accuser d'être... C'était insensé de ma part. Tu es l'homme le plus noble, le plus généreux que j'aie jamais...

— Noble ? répéta-t-il avec un ton méprisant. Franchement, Molly, tu ferais mieux de rentrer chez toi au lieu de proférer de telles absurdités. Tu vas d'illusion en illusion.

— Non ! se défendit-elle. J'ai affronté la vérité. Remi n'a jamais été la personne que je le croyais être, alors que toi...

— Oublie-moi, veux-tu ! Je n'ai aucune envie de prendre la place de Remi maintenant qu'il est tombé de son piédestal.

L'attaque la déconcerta.

— Ce n'est pas ce que je voulais dire, murmura-t-elle.

— Bien sûr que si ! Aujourd'hui encore, tu es en quête d'un héros. Eh bien, je ne suis pas ton homme ! Il se peut que saint Remi n'existait pas, mais je peux te garantir que saint Jack non plus.

Il émit un rire dur et continua :

— Je ne suis même pas un roi Chantsaule. La paternité de Tommy ne figure pas sur la liste de mes péchés, mais ma liste est tout aussi noire que celle de Remi.

Comment lui prouver qu'elle ne recherchait pas la perfection ? Naturellement, il avait commis des erreurs. Tout comme elle. Elle avait cessé de croire au saint Graal quelques semaines auparavant, lorsque peu à peu des petites vérités sur Remi avaient éclaté au grand jour. Et l'ultime trahison qu'elle venait d'apprendre avait fini de la désillusionner.

Elle jaugea longuement Jack, la grâce puissante de sa silhouette, ses cheveux qui brillaient comme de l'or blanc dans la nuit, comme s'ils avaient capturé les étoiles du dôme céleste… Il était magnifiquement beau. Ses mâchoires semblaient taillées dans le marbre, les angles de son visage étant définis par les ombres de la lune…

— Sais-tu ce que j'ai ressenti en découvrant que Remi m'avait trompée ? demanda-t-elle subitement. Quand j'ai découvert qu'il avait fait un enfant avec une autre ?

— Oui, je sais, et j'en suis désolé. Mais je ne peux pas recoller les morceaux brisés de ton cœur, Molly. Remi était ce qu'il était, je ne peux rien y changer. Franchement, tout cela me fatigue.

— Non, tu ne comprends pas, reprit Molly d'une voix étrangement calme et déterminée, car ce que j'ai éprouvé, c'était du soulagement. Oui, Jack, du soulagement…

Il la considéra d'un air incrédule, comme s'il cherchait à lire les nuances qui se jouaient sur son visage, à la faveur du clair de lune.

— Suis-je censé te croire ?

Franchissant finalement le seuil, Molly pénétra dans le belvédère. Une odeur mêlée de cèdre et de peinture flottait dans l'atmosphère.

— Oui, rétorqua-t-elle, parce que c'est la vérité. Je suis soulagée, car, si Remi est le père de Tommy, cela signifie que toi ne tu ne l'es pas. Cela signifie qu'Annie n'a aucun droit sur toi.

Elle se rapprocha.

— Ce qui veut dire qu'elle ne peut pas te prendre à moi.

— Molly..., commença-t-il en se reculant.

Voulait-il lui échapper ou redoutait-il les implications de ses propos ? De toute façon, il lui serait difficile de reculer plus dans cet espace aux proportions réduites.

— Molly, il vaut mieux que tu t'en ailles. Tu es trop émotive, trop vulnérable, tu cherches à te raccrocher à quelque chose pour...

Molly sentit un irrésistible sentiment de frustration monter en elle.

Que dire de plus pour le convaincre ? Elle fixa son profil. Ils étaient à quelques pas l'un de l'autre et pourtant un gouffre les séparait. Comment allait-elle pouvoir combler ce fossé ?

Elle prit une grande inspiration. C'était juste une question de courage.

— Je ne m'en irai pas, je ne le peux pas, car je te désire, dit-elle en lui touchant le bras. Cela n'a rien à voir avec Remi et Tommy. Voilà, je veux faire l'amour avec toi, je te désire si fort que cela me rend malade.

Le regard de Jack croisa le sien et, pour la première fois depuis le début de la conversation, ses yeux verts lui parurent réellement vivants. Ils brillaient dans le clair de lune.

— Je ne veux plus vivre dans le passé, dit-elle. C'est le présent qui m'intéresse.

Alors elle se glissa derrière lui et épousa son corps avec le sien.

— C'est toi que je veux, murmura-t-elle.

— Non, Molly. C'est impossible, répondit-il, tendu. Il faut que nous parlions, toi et moi.

— J'en ai assez de parler ! s'exclama-t-elle en se pressant plus ardemment contre lui.

Elle avait posé sa joue contre son pull en cashmere et noué ses mains autour de ses épaules.

— Nous tournons en rond, reprit-elle. Tout cela n'a plus d'importance. Je t'en prie, Jack, cessons de discuter en vain.

— Molly, je…

Sa voix se brisa. Et elle sentit qu'un frisson parcourait ses larges épaules.

— … Ecoute-moi. Je n'ai jamais été très raisonnable en ce qui te concerne. Jamais très fort. Et…

Il s'arrêta en sentant les mains de Molly autour de sa taille.

— Cessons de parler, Jack, répéta-t-elle.

Elle glissa ses doigts sous son pull, effleurant les muscles impressionnants qui sculptaient son torse.

La chaleur des doigts de Molly le fit frémir…

— Si tu n'arrêtes pas immédiatement, lui dit-il en levant la tête vers les étoiles, je vais être incapable de te résister. Et demain, quand tu te rendras compte de l'erreur que tu as commise, quand tu réaliseras que je ne suis pas si noble que cela, tu rajouteras un péché à ma liste.

— As-tu envie de moi ? coupa-t-elle.

C'était une question toute simple. Mais pour Molly le temps se figea, suspendu à la réponse de Jack.

— Depuis toujours.

A ces mots, un apaisement intense la submergea, comme si on venait de lui retirer une épine du cœur.

Dieu merci, en dépit de ses erreurs, de sa vénération ridicule et enfantine du passé, elle n'avait pas laissé passer sa chance avec Jack.

— Alors, retourne-toi et embrasse-moi, murmura-t-elle. Il y a si longtemps que toi et moi attendons ce moment.

Elle venait de trouver les mots convaincants car Jack capitula. Une reddition sans conditions.

Murmurant suavement son nom, il pivota sur lui-même et l'enlaça fermement. Ils s'embrassèrent éperdument, désespérément, se chuchotant des mots fous, se caressant avec fougue.

Ils finirent par basculer sur le banc matelassé.

Elle s'était fait le serment de ne pas penser à la dernière fois, de ne pas penser à Remi. Néanmoins, une peur ténue ne cessait de la hanter. Sa nuit d'amour avec Remi avait été la seule de sa vie. Et elle avait eu lieu ici même, à l'endroit où le chêne se dressait, il y a quelques jours encore.

Comment pourrait-elle ne pas comparer ?

Pourtant, quand Jack déboutonna doucement sa robe bleue, puis enfouit sa tête dans sa poitrine, allumant en elle un feu qui enflamma tout son corps en un instant, elle comprit qu'il n'y avait pas de comparaison possible.

La dernière fois, elle avait fait l'amour poussée par la peur, avec un jeune homme en colère, imbibé de bière et éperdu de frustration.

Ce soir, tout était différent.

C'était tout ce que la première nuit n'avait pas pu être.

Jack était un amant parfait. Patient, passionné, attentif, inventif. Il connaissait le corps des femmes, ce qu'un jeune homme de vingt-deux ans ignorait.

Ses mains étaient magiques. Ses lèvres étaient aussi douces que du velours. Son corps était résolu quand il recouvrit le sien, puissant quand il ondoya en elle, et tout simplement merveilleux quand il répondit à des vœux qu'elle n'avait même pas conscience d'exprimer...

— Ouvre les yeux, lui ordonna-t-il d'une voix rauque. Je veux que tu me regardes, que tu me regardes vraiment...

Elle lui obéit. Son regard était si hypnotique qu'elle ne parvenait plus à s'en détacher. Pourtant, quand les ondes puissantes de la jouissance commencèrent à balayer son corps, la réalité vacilla et elle sentit ses paupières se fermer...

— Molly, regarde-moi !

Elle rouvrit les yeux. Elle lui appartenait tout entière, elle ne voyait plus que son visage tendre et fiévreux au-dessus du sien. Il allait et venait en elle sans relâche, tandis que, de son côté, elle était entièrement livrée à lui, ne pouvant qu'accepter le plaisir qui montait en elle.

Elle poussa un gémissement, presque effrayée par son abandon, mais ses yeux, les beaux yeux verts de Jack, étaient toujours là.

— Je t'aime, murmura-t-il dans un souffle douloureux.

Puis lui aussi s'abandonna à la puissance du plaisir...

Molly resta longtemps serrée contre lui, emplie d'une sérénité inconnue jusqu'alors. Elle leva les yeux vers les étoiles argentées qui, telles des paillettes, semblaient cousues sur le velours noir du ciel.

Comme Lavinia avait eu raison de plaider en faveur d'un toit ouvert ! Il aurait été scandaleux de manquer cet extraordinaire spectacle.

Sans s'en rendre compte, elle finit par fermer les yeux et s'assoupit. Combien de temps ? Une heure ou quelques minutes ? Elle n'aurait su le dire.

Quand elle rouvrit les yeux, Jack la regardait d'une curieuse façon. A l'infinie tendresse qui brillait dans ses yeux se mêlait une étrange tristesse.

Comment la tristesse avait-elle pu pénétrer dans ce lien enchanteur ?

Elle lui caressa très doucement la joue et y laissa sa main.

— Je n'aurais jamais cru qu'une telle perfection soit possible, dit-elle d'une voix endormie.

Il inclina la tête de côté et la fixa avec une telle intensité qu'elle se sentit soudain complètement réveillée et un peu confuse...

— Moi, si, dit-il. J'en ai rêvé des millions de fois. Tu as toujours été mon rêve.

Elle sentit dans son esprit comme une menace qui clignoterait faiblement dans le lointain, si faiblement qu'on douterait même de sa présence...

— Qu'as-tu dit ?

Elle laissa lentement sa main retomber.

— Tu m'as parfaitement compris, Molly.

D'une voix grave et déterminée, il lui répéta mot pour mot ce qu'il lui avait dit dix ans plus tôt :

— Tu as toujours été mon rêve. Mon premier, mon dernier, mon meilleur, mon plus beau rêve.

14.

La confusion la plus absolue se peignit sur le visage de Molly. Elle eut l'impression qu'on lui broyait le cœur et qu'on lui arrachait les entrailles.

— C'était donc toi ?

Sa voix n'était plus qu'un filet.

Comme il pouvait se détester ! Une minute plus tôt, elle était encore si heureuse et, dans son innocence, invoquait sa noblesse d'âme tout en refusant de piétiner la mémoire de Remi…

D'un coup de pied, il venait de faire fait voler en éclats son beau château de cartes et il ne restait plus que les gravats à contempler.

Incapable de soutenir davantage le regard dévasté de Molly, il détourna les yeux, puis se mit à rajuster ses vêtements. Il aurait aimé pouvoir en faire autant avec sa conscience.

— C'est impossible, reprit Molly d'une voix sans timbre, comme si elle se parlait à elle-même.

Que n'aurait-il donné pour revenir en arrière ! « Effectivement, ce n'est pas vrai », avait-il envie de lui dire en la berçant contre lui. « Jamais je n'aurais fait une chose pareille. Je ne t'aurais pas laissée m'offrir ton innocence alors que tu me prenais pour un autre. Je n'aurais jamais pu être un salaud si égoïste, si hypocrite... »

Malheureusement, il ne pouvait pas proférer ces paroles rassurantes parce que c'étaient des mensonges.

Qui plus est, il ne s'était pas contenté de lui mentir une fois, mais deux.

Lui avoir de nouveau fait l'amour sans qu'elle ne connaisse la vérité était un acte tout aussi condamnable que la mystification d'autrefois. Pire même, parce qu'alors il était ivre. Trop ivre pour réfléchir. Au début, il avait cru qu'elle était une simple hallucination née de l'abus d'alcool, une adorable hallucination qui venait à lui comme l'incarnation de ses rêves.

— Comment ai-je pu me tromper à ce point ? dit-elle encore.

Telle une enfant, elle avait ramené ses jambes sous elle. Sa tête était légèrement inclinée, et sa chevelure encore tout emmêlée, à cause du désordre qu'il y avait semé durant leur étreinte. Quelques mèches tombaient comme un voile sur son visage... Elle tenait sa robe serrée autour de ses genoux, ses doigts crispés sur l'étoffe en velours bleu.

Levant les yeux vers lui, elle passa une main dans ses cheveux pour essayer de les domestiquer.

L'air absent, elle marmonna :

— Comment ai-je pu penser que tu n'étais pas...

— Tu ne m'as pas réellement regardé, ce soir-là, dit-il. Tu étais si mal à l'aise dans le rôle de la séductrice. Etant donné mon état d'ébriété, mes souvenirs des premiers instants sont flous, mais il me semble bien que tu évitais mon regard.

— Exact... J'étais effrayée. Je... Remi était furieux, cette nuit-là. Je craignais qu'il ne me repousse...

Ses yeux prirent une expression lointaine, comme si elle entrait dans un monde intérieur.

— ... Mais, ensuite, il s'était montré si gentil. Si bon... Enfin, pas Remi, se corrigea-t-elle, brusquement. Toi.

— Oui, moi.

Poursuivant le fil de pensées qu'elle seule pouvait entendre, elle déclara :

— Tu as dû réellement penser que j'étais idiote...

— Au contraire, je t'ai trouvée sublime.

Elle ne l'entendit pas. Sourcils froncés, elle continuait de secouer tristement la tête, toujours sous le choc.

— Je n'ose pas imaginer ce que tu... Tu as dû croire que j'étais... Tu as dû penser que Remi et moi...

— Molly, je suis bien placé pour savoir que tu n'avais jamais connu d'autre homme, avant... Pas même Remi.

Sa gorge se serra. Les souvenirs lui revenaient de façon si aiguë qu'il en revivait tous les détails. Les caresses délicieuses, l'odeur de Molly, le son de sa voix...

— Le lui as-tu dit ? demanda-t-elle, les yeux brillants de larmes. Est-il mort en pensant que je l'avais trahi ?

Subitement, une pensée odieuse, insupportable, s'immisça en elle. Elle porta une main à sa bouche comme pour retenir un haut-le-cœur ;

— Oh, mon Dieu ! Est-ce que cela a quelque chose à voir avec ce qui est arrivé ? Avec l'accident ?

A ces mots, Jack s'agenouilla devant elle. Il devait à tout prix empêcher que la culpabilité vienne se loger dans son cœur. Il savait trop bien ce qu'était ce maudit sentiment pour accepter qu'il envahisse l'innocente Molly.

— Non, Molly, lui dit-il doucement.

Avec la même douceur, il parvint à lui faire lâcher le tissu de sa robe afin d'en ragrafer les boutons.

— Remi n'a jamais rien su. Cette nuit-là, il ne pensait ni à toi ni à moi. Annie venait de lui annoncer qu'elle était enceinte. Elle avait attendu plusieurs mois, de sorte qu'il ne puisse plus lui conseiller un…

Il s'arrêta. Il n'avait pas l'intention de noircir à ce point le portrait de son frère. Il tenta de justifier le comportement de son jumeau.

— Remi était sous le choc de la nouvelle, et en colère. Il devait sûrement avoir très peur. Ce qui le rendait irresponsable.

— Je vois…

Elle fixait à présent les mains de Jack qui reboutonnaient sa robe. Elle toucha alors l'annulaire de sa main droite et le regarda d'un air perplexe.

— Tu portais son anneau, ce soir-là. L'anneau des Forrest.

Son ton n'était pas accusateur, simplement curieux.

— Exact, répondit-il, laconique.

— Annie m'a dit que Remi le laissait à la maison quand il lui rendait visite, qu'il se faisait passer pour toi, afin de commettre des péchés en ton nom. D'où l'avantage ou l'inconvénient d'être des jumeaux identiques, je présume…

Il la considérait en silence, essayant de comprendre ce qu'elle pouvait bien ressentir.

Après cette nuit-là, il n'avait plus jamais porté le fameux anneau. Cela faisait dix ans qu'il ne l'avait pas ressorti de sa petite boîte noire, une boîte aujourd'hui recouverte de poussière, sur la commode. Mais toute la poussière du monde n'aurait pas suffi à enfouir les actes répréhensibles que son frère et lui avaient commis.

Molly releva les yeux, à la recherche de son regard.

— Est-ce pour cette raison que tu m'as fait l'amour ? Oh ! Je ne t'en blâme pas… Si Remi se faisait passer pour toi, il était logique que tu veuilles à ton tour prendre ta revanche.

— Non ! s'exclama-t-il en se levant brusquement, ce n'était pas pour me venger de lui.

— Pourquoi alors ne pas m'avoir dit qui tu étais réellement ?

Il regarda son visage diaphane qui se tendait vers lui, tout à la fois désireux et anxieux de connaître la réponse à cette question.

Il choisit prudemment ses mots pour répondre :

— Parce que j'avais envie de toi. Parce que cela faisait des années que je te désirais. C'est aussi simple, aussi odieux que cela. J'étais ivre, et le désir que je ressentais pour toi me rendait à moitié fou.

— Tu me désirais, répéta-t-elle d'un ton étrange. Ce que tu m'as dit tout à l'heure était donc bien vrai. J'ai toujours été ton rêve.

Se dirigeant vers la porte du belvédère pour aspirer l'air de la nuit, à pleins poumons, il répondit alors :

— Oui. Et, en toute franchise, je me serais fait passer pour le diable, ce soir-là, si cela avait été l'unique moyen de te posséder.

Liza apportait les dernières touches à la couronne du roi Chantsaule — la couronne la plus grande et la plus originale qu'elle ait jamais conçue pour lui — lorsqu'elle entendit sa mère ouvrir la porte d'entrée.

Elle était censée dormir. Enfouissant rapidement le dessin sous son oreiller, elle se glissa à son tour sous la couette, non sans jeter un rapide coup d'œil à la pendule. Il était 22 h 30.

Elle regarda de nouveau l'heure. *10 heures et demie ?* Elle serra le crayon qu'elle tenait toujours à la main, sous la couette, et s'ordonna de ne pas s'inquiéter. Sa mère ne lui rappelait-elle pas régulièrement qu'il fallait se garder des conclusions hâtives ?

Quand même, 10 heures et demie, c'était encore très tôt… Si Jack et sa mère étaient tombés amoureux, cela aurait pris un peu plus de temps, non ?

— Molly !

Tante Lavinia, qui lisait tranquillement dans le salon, parut elle aussi surprise.

— Comment se fait-il que tu sois déjà de retour ? Jack et toi vous êtes-vous disputés ?

Visiblement, les adultes avaient le droit, eux, de tirer des conclusions hâtives…

Liza tendit l'oreille, anxieuse, pour entendre la réponse de sa mère. Elle retint même son souffle afin qu'aucun bruit n'interfère… Mais sa mère répondit d'une voix si basse que tout ce qu'elle perçut, ce fut un murmure.

Quand tante Lavinia reprit la parole, elle aussi avait modulé sa voix. On aurait dit deux personnes discutant ensemble à un enterrement !

Comme c'était frustrant ! Devait-elle se lever et prétendre qu'elle voulait un verre d'eau ? Ou bien se rendre aux toilettes ? Non, elle ne pouvait s'y résoudre. Sa tête dépassant à peine de la couette, elle se mit alors à contempler la lumière fantastique que les lunes de Cuspiane répandaient sur les murs, sous l'effet de sa lampe de chevet. On aurait dit un feu magique…

Allons, il ne fallait pas être triste. Peut-être n'y avait-il rien de grave. Il devait sûrement y avoir une autre explication. En général, elle arrivait toujours à trouver des explications optimistes…

Tiens ! Il se pouvait tout à fait que Jack et sa mère aient compris sur-le-champ qu'ils devaient se marier et que sa mère ait tenu à rentrer immédiatement à la maison pour annoncer la bonne nouvelle à Liza. Quelle déception elle avait dû éprouver en découvrant que sa fille était déjà endormie ! Et si Liza se levait pour qu'elle puisse la lui annoncer ?

Pourtant, elle ne bougea pas. Elle n'était pas certaine que cette explication soit la bonne, car elle ne répondait pas à toutes les questions qu'elle se posait.

Et notamment à celle-ci : pourquoi sa mère et Lavinia parlaient-elles sur un ton si bas et si grave ? Pour qu'une explication convienne réellement à Liza et qu'elle chasse les tristes pensées de son esprit, elle devait répondre à *toutes* les questions.

— Je vais bien, Lavinia, assurait à présent Molly.

Liza pouvait l'entendre de sa chambre, car les deux femmes se trouvaient dans le vestibule, près de la porte d'entrée.

— Il y a tant de choses à faire, demain...

Sa mère semblait fatiguée. Liza se redressa sur un coude et, à travers l'entrebâillement de sa porte, put distinguer sa mère et Lavinia, tout près l'une de l'autre.

Molly était toujours vêtue de sa robe Chantsaule, mais elle aurait eu besoin d'un bon coup de peigne. Son rouge à lèvres était complètement parti. Elle portait ses escarpins à la main, comme si elle venait juste de les retirer. Et, quand elle sourit poliment à Lavinia, ses épaules s'affaissèrent légèrement.

Sa mère ne jouait pas la comédie, elle était réellement épuisée ! Cette constatation ne la rassura nullement. Elle ne parvenait pas à établir un lien entre sa mère si jeune et si belle, souriante et en pleine forme, qui avait quitté la maison deux heures plus tôt, et celle qui se tenait à présent dans le corridor.

Pendant que Molly et Lavinia prenaient congé l'une de l'autre, Liza ressortit son dessin de dessous son oreiller. Elle avait particulièrement bien réussi le roi Chantsaule, cette fois-ci. Dessiner requérait bien plus d'adresse que les gens ne semblaient le croire. Les détails étaient très importants. Le pétillement dans les yeux du roi Chantsaule, par exemple ! Au début, elle avait cru pouvoir le matérialiser avec quelques traits dorés, avant de se rendre compte que cela n'était pas aussi simple. Après plusieurs essais, elle avait découvert que ce pétillement était le résultat d'une certaine inclinaison de la tête, conjuguée à une petite fossette à l'angle droit de sa bouche et à une plus profonde dans la joue, quand il souriait.

Sur le dessin, elle avait reproduit tous ces petits détails et avait enfin atteint son but.

En l'examinant à présent de nouveau, elle se sentit curieusement trahie. Comment un homme doté d'un tel sourire pouvait-il avoir rendu sa mère si malheureuse, ce soir ?

Entendant la porte d'entrée se refermer, Liza fourra rapidement le dessin sous son oreiller, remonta la couette sous son menton et ferma les yeux. Un léger bruissement lui indiqua que Molly se tenait sur le seuil de la porte et la contemplait dans son sommeil, comme tous les soirs.

Pourquoi ne pas saisir sa chance ?

Elle pouvait parfaitement se relever, prendre un air endormi, et demander à sa mère comment s'était déroulé son rendez-vous. Alors cette dernière entrerait, s'assoirait au bord de son lit, et lui raconterait tout.

Cependant, elle n'osa pas. Si les choses s'étaient mal passées, elle préférait ne rien savoir. Elle voulait garder l'espoir et trouver une autre solution, une qui répondrait à toutes ses questions.

Sa mère referma doucement la porte et, pieds nus, regagna sa chambre à coucher. Ce fut alors que, derrière la mince cloison qui séparait leurs chambres, Liza entendit des pleurs étouffés.

Mon Dieu, c'était affreux... Sa mère avait du chagrin. Entendre ses sanglots la transperçait, et la faisait terriblement souffrir, comme une douleur lancinante... Comme lorsqu'on se cognait le petit orteil dans une chaise.

Au bout de quelques minutes, les pleurs cessèrent.

Alors, Liza glissa ses doigts sous son oreiller, attrapa son beau dessin, le plus beau qu'elle ait jamais réalisé du roi Chantsaule, et le froissa dans sa main pour en faire une boule de papier qu'elle jeta sur la moquette.

C'était samedi matin, jour de l'inauguration du parc. Ce n'était pourtant pas à la cérémonie que Ross se rendait, mais à Everspring. Le cœur défiant, il gara sa voiture dans l'allée principale de la plantation.

Il savait que la plupart des amis des Forrest et toute la famille se garaient dans l'allée arrière, celle qui se trouvait entre la plantation et le bungalow. Mais il s'en fichait. C'était une visite formelle, et il était exclu qu'il entre par la porte de service.

Aujourd'hui, il ne venait rien quémander, c'était lui qui allait exiger.

Il refusait de se laisser intimider, même si la demeure lui paraissait plus imposante que jamais, ce matin. Elle s'était fait une beauté pour fêter son bicentenaire. Qui plus est, les jardins éclataient de couleur.

Ross n'était pas à proprement parler expert en botanique. Bien sûr, il pouvait reconnaître une rose, mais qui n'en était pas capable ? Il identifiait également les camélias, car, quand il était enfant, quand il jouait au ballon avec ses frères dans la cour, sa mère leur criait toujours : « Attention à mes camélias ! »

En dépit de ses connaissances bien rudimentaires, il savait reconnaître quand un jardin était beau et, en l'occurrence, celui-ci l'était ! Au début, Ross avait cru que Lavinia recourait aux services de Molly Lorring en souvenir du bon vieux temps. Il s'était trompé. La gamine était devenue une adulte rudement douée dans son domaine.

Arrivé devant la porte d'entrée, il dédaigna la sonnette électrique et s'empara du heurtoir en laiton brillant. Il frappa trois coups solennels.

Il ne venait pas supplier, mais exiger.

Il attendit. Personne ne vint lui ouvrir. La maison semblait aussi vide qu'une scène de spectacle avant la représentation. Il regarda à travers les carreaux, frustré. Il devait bien y avoir quelqu'un, que diable ! L'inauguration ne commençait pas avant midi et il était juste 9 heures.

Il frappa de nouveau, plus fort, cette fois. Il frapperait toute la journée s'il le fallait. Il ne repartirait pas d'ici sans avoir dit ce qu'il s'était promis de dire.

Au bout d'une longue minute, Jack vint enfin ouvrir la porte. Manifestement, il était en train de s'habiller. Sa chemise blanche, impeccablement repassée et amidonnée, n'était pas rentrée dans son pantalon noir, et il n'avait pas eu le temps d'attacher ses boutons de manchettes. Quant à sa cravate, elle pendait autour de son cou.

Ross refusa de se laisser impressionner. La cravate du club universitaire qu'arborait Jack ne lui donnait pas plus de valeur, tout comme la chemise en flanelle que lui-même portait ne le dévalorisait pas.

Et, à présent qu'il le regardait un peu plus attentivement, il lui semblait bien que Jack avait des cernes, comme s'il n'avait pas bien dormi.

— Ross ? dit Jack en sourcillant. Y a-t-il quelque chose que je puisse faire pour toi ?

— Oui, Jack, répondit Ross, en refoulant le malaise qui le gagnait face au ton dédaigneux de Jack.

— Je t'écoute.

Jack attendit. Mais Ross devait tout d'abord se calmer pour être en mesure de parler. Ils se fixèrent un instant en silence, puis Jack entreprit d'agrafer un premier bouton de manchette, non sans ajouter dans un sourire :

— Suis-je censé deviner quel bon vent t'amène ? Pourquoi pas ? Cela pourrait être amusant. Mais il se trouve que je dois être au parc à midi et...

— Tais-toi ! l'interrompit Ross. Je vais te dire ce que je suis venu te dire. Et je veux que tu m'écoutes.

— Parfait, fit Jack, une pointe de curiosité dans la voix.

Ross prit sa respiration, fit craquer ses doigts et se lança enfin :

— Pour commencer, je voulais te dire que j'étais désolé. Je ne pourrai jamais te dire à quel point je regrette d'avoir entraîné Remi dans cette regrettable aventure. J'ai sous-entendu que c'était la faute de Remi, mais c'est faux. Bien sûr, j'étais jeune pour un entraîneur, et, pourtant, c'était moi l'adulte. J'étais censé lui transmettre mes connaissances, le guider. A la place, je l'ai poussé à commettre une sottise. Je ne me le pardonnerai jamais, pas plus que je n'attends le pardon d'autrui.

Il fit une pause. S'il avait attendu que Jack bondisse de colère, ou au contraire qu'il accepte ses excuses avec empressement, dans les deux cas, il s'était trompé.

Jack continuait tranquillement d'agrafer son deuxième bouton de manchette.

— Ça, c'était la première chose. Mais ce n'est pas tout. Je voulais te dire que je comprends ton inquiétude concernant ma relation avec Tommy. J'admets que j'ai des problèmes…

De nouveau, il s'interrompit. Il s'était mal exprimé. Il en profita pour aspirer une longue bouffée d'oxygène. Pourquoi l'air lui paraissait-il si épais, ce matin ?

— Enfin, je veux dire… *J'étais* un flambeur. Cela dit, je ne suis pas dupe : ce n'est pas parce que cela fait quatorze ans que je n'ai pas parié et le même nombre d'années que j'assiste à des réunions des *Joueurs anonymes* pour évoquer mon problème que je suis définitivement guéri.

Jack avait terminé d'agrafer ses boutons de manchettes. Sans dire un mot, il fixait Ross d'un air tranquille tout en rentrant sa chemise dans son pantalon.

— Néanmoins, je m'efforce de ne pas rechuter. Depuis quatorze ans, je contrôle cette pulsion. Je peux encore la dompter pendant quatorze autres années. Et encore quatorze autres après ça. Ce qui veut dire que, si j'épouse Annie et que je deviens le père de Tommy, je serai parfaitement capable de prendre soin d'eux.

C'était à cet instant du discours que Ross avait réellement cru que Jack bondirait, incapable qu'il serait de supporter l'éventualité qu'il devienne le père de Tommy.

Une nouvelle fois, le comportement de Jack le déconcerta. Imperturbable, ce dernier était en train de nouer sa cravate.

— Je vais donc épouser Annie, Jack, insista-t-il. Si elle veut toujours de moi. C'était ce que j'étais venu te dire.

Lentement, Jack fit coulisser le savant nœud qu'il venait de confectionner vers le col de sa chemise.

Ross était excédé. Jack Forrest était-il encore un être humain ? Comment pouvait-il afficher cet air impassible de… de joueur de poker ? Rien ne pouvait-il donc l'émouvoir ?

— N'as-tu donc pas entendu ce que je viens de te dire, Jack ? Je t'annonce que je vais épouser Annie et tu ne réagis pas ?

— Désolé, dit Jack en souriant, je n'avais pas compris que c'était à mon tour de parler.

— Remarque, tu as raison, car je n'ai pas encore fini.

Ross avait bien conscience que son attitude n'était pas tout à fait cohérente, mais il pouvait difficilement tout contrôler.

— Je suis en colère, Jack, terriblement en colère, reprit-il. Oh, bien sûr ! Ce n'est pas ta faute. J'ai dix ans de plus que toi, et, pourtant, voici quatorze ans que je vis sous ta coupe. Quatorze ans que je redoute que tu ne me détruises par une seule phrase que tu pourrais prononcer. Et, au lieu d'affronter courageusement la réalité, comme un homme, j'ai passé toutes ces années à raser les murs, me demandant quand tu te déciderais à agir.

Le sourire de Jack disparut.

— Et qu'en est-il aujourd'hui ?

— Aujourd'hui, j'en ai assez de tout cela. J'ai décidé de cesser de raser les murs et de me mortifier. Tu peux raconter cette histoire de vol à tout le monde si cela te fait plaisir. Dire que Ross Riser, pour parier au casino, a entraîné ton frère à vider la caisse du club de golf, autrefois. Tu peux même l'annoncer au micro, tout à l'heure.

Je m'en fiche car, d'ici là, j'aurai tout expliqué à Annie. Je suis certain qu'elle me comprendra et qu'elle m'épousera malgré tout. A partir d'aujourd'hui, je me moque de ce que tu peux faire.

Ross s'interrompit, à bout de souffle. En réalité, il ne voulait pas s'exprimer si brutalement, juste être convaincant.

Il recula d'un pas.

— Voilà, j'ai fini. A toi, maintenant.

Jack paraissait songeur. Ses cheveux dorés brillaient d'un éclat particulier dans le soleil du matin et, maintenant qu'il était entièrement habillé, il avait vraiment l'air de ce qu'il était : un fils de privilégié. Il affectait une expression affable et, pourtant, Ross aurait juré que, derrière le vernis social, le mépris était tapi, prêt à passer à l'attaque.

Néanmoins, il devait admettre que ce n'était pas ce sentiment qui se reflétait dans les yeux de Jack. Ses yeux, d'un vert si exceptionnel, étaient teintés d'une légère lueur qui aurait bien pu s'apparenter à du respect. Cette lueur venait-elle juste de s'y allumer ? Ou bien, dans sa fièvre de déclamer ce qu'il avait à lui dire, ne l'avait-il pas remarquée de prime abord ?

Soudain, Jack se secoua, comme s'il venait de prendre une décision.

— Je dois te remettre quelque chose, Ross. Deux, en réalité. Veux-tu te donner la peine d'entrer pendant que je vais les chercher ?

Ross sourcilla. Il se méfiait de cette courtoisie subite.

— Non, je préfère attendre ici.

— Comme tu voudras.

Jack fut alors aspiré par la spacieuse et élégante demeure dans laquelle Ross n'avait jamais pénétré.

Pendant quelques secondes, le doute affleura dans son esprit.

Avait-il raison d'agir ainsi ? Ne commettait-il pas une erreur en privant Tommy et Annie d'une vie de confort et de légèreté dans cette extraordinaire maison ? Est-ce que le simple amour qu'il voulait leur offrir pouvait rivaliser avec huit mille mètres carrés de luxe et d'histoire ?

Notamment si Tommy appartenait à cette histoire.

Il haussa les épaules. Ce serait à Annie d'en décider. Tout ce qu'il pouvait faire, c'était lui laisser le choix.

Jack mit plus de temps que Ross ne l'aurait cru, mais il finit par revenir. Il était effectivement muni de deux objets : un magazine de sport dans une main, une boîte en velours noir dans l'autre.

Il lui tendit d'abord le magazine, un mensuel sportif dont la couverture affichait le visage réjoui d'un footballeur connu.

— Tommy a un ami dont le père lui lit des statistiques de football, en guise d'histoires pour s'endormir. Oui, ajouta Jack en souriant, ça a l'air stupide, mais Tommy trouve ça *cool*.

— Des statistiques de foot ? répéta Ross.

— Je t'assure, moi aussi j'ai eu du mal à le croire... Et, entre nous, Tommy adorerait avoir un chien. Je te préviens toutefois que tu risques de te mettre sa mère à dos si tu lui en offres un.

— Un chien ?

Il ne put s'empêcher de sourire à la perspective du tableau qui s'offrait sous ses yeux :une femme, un fils, un chien, et des histoires à raconter pour endormir un enfant...

Subitement, il se ressaisit et demanda d'un ton suspicieux :

— Pourquoi me racontes-tu tout cela, Jack ? Je croyais que tu refusais que je m'approche de lui. Que tu ne pouvais pas me pardonner mes erreurs passées et que tu étais déterminé à me les faire payer jusqu'à la fin de mes jours.

Jack émit un petit rire sans joie. Les ombres qui cernaient ses yeux parurent se renforcer.

— J'ai décidé que nous avions payé assez cher le passé.

— Nous ?

— Toi, moi, Remi…

Jack brandit la petite boîte en velours poussiéreuse et, avec un sérieux que Ross ne lui connaissait pas — il recourait d'ordinaire à la raillerie avec lui —, il poursuivit :

— Je veux que tu remettes cela à Annie. Et je souhaite également que tu lui délivres un message de ma part.

Ross prit la boîte que lui tendait Jack.

— Entendu.

— Je voudrais que tu lui dises… Enfin, dis-lui simplement que, de mon côté, je suis prêt. A elle de décider.

— Prêt pour quoi ? demanda Ross, confus.

— Elle comprendra. Annie est une femme incroyablement intelligente. Remets-lui la boîte et transmets-lui mon message. Si je peux te donner un conseil, sois fort, car les rumeurs vont aller bon train, dans notre vieille bonne ville.

— Est-ce au sujet de la paternité de Tommy ?

— Annie t'expliquera tout.

Il posa une main fraternelle sur l'épaule de Ross — le premier geste amical depuis qu'ils se connaissaient.

— Pour ma part, j'ai un discours à prononcer qui m'attend.

15.

Tante Lavinia était vraiment *cool*. Elle ne parut pas le moins du monde étonnée de sa requête. Elle souhaitait s'arrêter chez Tommy avant de se rendre à l'inauguration du parc.

Elle était heureuse que sa mère soit déjà partie sur les lieux pour vérifier d'éventuels problèmes de dernière minute, sinon elle lui aurait posé des centaines de questions. Pourquoi avait-elle envie de voir Tommy ? Pourquoi maintenant ? Or, Liza n'avait aucune envie de répondre à ce genre d'indiscrétions.

Heureusement, tante Lavinia ne lui demanda rien du tout. Liza apprécia *énormément* sa retenue. D'ailleurs, elle aimait *énormément* Lavinia. Elle n'était pas spécialement belle, avec ses cheveux coupés au carré et ses stricts tailleurs, mais elle ne faisait jamais d'histoires.

Et puis elle était extrêmement intelligente. Elle racontait des histoires extraordinaires sur la famille Forrest, des histoires qui remontaient au XVIe siècle.

Lorsqu'elle pensait à son retour à Atlanta, Liza avait le cœur bien lourd. Comme tante Lavinia allait lui manquer !

— Il est vraiment regrettable que Tommy ne puisse pas venir à l'inauguration, déclara Lavinia alors qu'elle s'engageait dans l'allée qui menait chez les Cheatwood. Le pauvre, il doit être terriblement déçu.

— Il n'a pas seulement la jambe droite cassée, renchérit Liza. Il a également des points de suture à la cuisse gauche car il s'est coupé en tombant, ce jour-là. Il affirme que cette blessure le fait davantage souffrir que l'autre. Il ne peut pas encore se déplacer avec des béquilles.

— Dis-lui que nous lui rapporterons de la barbe à papa et un bretzel de la fête. La nourriture, c'est ce qu'il y a de plus intéressant, dans ce genre de manifestation.

— Le feu d'artifice aussi, précisa Liza.

Elle aurait tant aimé admirer le spectacle de lumières au côté de Tommy. Ainsi, ils auraient pu imaginer qu'ils se trouvaient sur la planète Cuspiane. Quelques-uns de ses nouveaux camarades seraient naturellement présents, mais elle ne leur avait encore rien confié au sujet de sa planète imaginaire.

Et, maintenant, elle ne le ferait jamais... Car elle devait se rendre à l'évidence : entre sa mère et Jack, la nuit dernière, rien d'extraordinaire ne s'était produit.

Ce qui signifiait qu'elles feraient bientôt leurs bagages pour revenir à Atlanta. Alors, elle devrait se mettre en quête d'un nouveau roi Chantsaule. C'était la partie la plus triste de l'histoire. Parce que, tout au fond de son cœur, elle savait qu'elle n'en trouverait jamais un autre aussi parfait que Jack.

Annie parut surprise, mais ravie de les voir. Elle conduisit Liza dans la chambre de Tommy. Il était en train de jouer à Vampire Blaster. Liza se sentit un peu réconfortée, car c'était grâce à elle que Molly avait offert ce jeu à Tommy. Ainsi, il ne l'oublierait pas.

Il tourna les yeux vers elle. Il paraissait plus maigre que jamais. Et ses traits étaient tirés, comme s'il souffrait en permanence.

A sa vue, un sourire spontané éclaira pourtant son visage.

— Salut, dit-il. Comment se fait-il que tu ne sois pas au parc ?

— Nous sommes en chemin pour le parc, mais je voulais absolument te voir.

— Ah bon ? fit Tommy en levant un sourcil.

Il se pencha alors vers elle et s'enquit sur un ton plus bas :

— Y a-t-il du nouveau ? L'a-t-il demandée en mariage ?

— Non, répondit Liza en s'efforçant de ne pas paraître trop triste.

Tommy et elle s'étaient entretenus au téléphone, la veille, et elle lui avait confié que sa mère avait rendez-vous avec Jack. Tous les deux étaient convenus que le parfum et le rouge à lèvres étaient des signes très prometteurs.

— Ma mère est rentrée de bonne heure à la maison et, quand elle s'est mise au lit, je l'ai entendue pleurer à travers la cloison.

— Bon sang ! dit Tommy, l'air préoccupé. Je déteste quand ma mère se met à pleurer. Toi aussi, je suppose ?

— Oui, répondit brièvement Liza.

D'ailleurs, elle préférait ne pas repenser à cette scène qui lui brisait le cœur.

Lançant un regard impuissant à Tommy, elle ajouta :

— Je crois qu'une chose tragique s'est produite.

Peut-être qu'ils se sont disputés.

Tommy parut réfléchir, puis il affirma :

— Dans ces conditions, tout va bien ! Les amoureux se disputent tout le temps. Tu devrais entendre Ross et ma mère, parfois !

— Peut-être, fit Liza en se tordant les doigts, mais tu sais bien que ma mère n'aime pas les disputes.

— C'est vrai, concéda Tommy.

La frustration se lisait sur son visage, ainsi qu'un sentiment de défaite, comme s'il venait d'arriver dans une impasse et qu'il ne voyait pas comment s'en sortir.

— En fait, ce n'est pas non plus le genre de Jack, continua-t-il. Ils sont plutôt réservés, elle et lui.

— Mouais, dit Liza, dépitée. Et ta mère ? Ross l'a-t-il demandée en mariage ?

Elle préférait changer de conversation avant de commencer à pleurer. Il ne fallait pas que Tommy garde un mauvais souvenir d'elle.

Tommy se mit à jouer avec la manette de son jeu vidéo — une façon de ne pas la regarder.

— Nan. Remarque, je m'en fiche…

Il fronça les sourcils et Liza se rendit compte qu'il avait retrouvé son côté bravache, preuve qu'il allait mieux.

— … De toute façon, qui a besoin d'eux ? Tu te rappelles ce que je t'ai dit au sujet des pères, n'est-ce pas ?

Elle acquiesça.

— Eh bien, qu'est-ce que j'ai dit ? insista-t-il.

Il lui donna un petit coup de coude pour l'inciter à répondre, désireux qu'elle montre la même indifférence que lui, à ce sujet.

— Je m'en souviens, mais je n'ai pas le droit de prononcer ce mot.

Tommy roula de grands yeux et répondit :

— Bon sang ! Arrête de faire ta mijaurée ! Ma mère et Lavinia sont dans l'autre pièce, elles ne peuvent pas t'entendre. Alors... qu'ai-je dit au sujet des pères ?

Liza se mordit la lèvre. Curieusement, il était très excitant de s'apprêter à transgresser les règles. Peut-être était-ce pour cette raison que Tommy avait toujours des ennuis, car il éprouvait un réel plaisir à franchir les interdits.

— Les pères, c'est..., commença-t-elle vaillamment, non sans toutefois baisser la voix pour terminer sa phrase : *gonflant.*

— Tu vois ? fit Tommy en la regardant fièrement. Le monde ne s'est pas arrêté de tourner !

A cet instant, une poignée d'adultes se matérialisa sur le seuil de la chambre comme si, par un concours de circonstances malheureuses et inexplicables, ils l'avaient entendue proférer cette vulgarité et s'étaient précipités dans la chambre pour statuer sur une punition.

Liza retint sa respiration, paniquée.

Tommy considéra le groupe d'adultes. Il y avait sa mère, tante Lavinia et une autre personne dont la présence était plutôt inattendue : Ross Riser.

Tommy et Liza échangèrent un regard...

— Il est temps que nous partions, mon trésor, annonça tante Lavinia. Tommy et Annie ont de la visite et le discours d'inauguration a lieu dans moins d'une heure. Il faut absolument que je sois sur place avant.

— Bonjour, Liza, dit Ross en souriant.

Liza lui rendit son sourire et remarqua qu'il tenait une petite boîte en velours noir, à la main.

Son cœur fit un bond dans sa poitrine. Elle savait ce que c'était : une boîte à bijoux ! Le genre de boîte que, dans les films, le héros apportait toujours quand il voulait demander l'héroïne en mariage. Le genre de boîte qui abritait forcément un diamant.

Tante Lavinia l'avait elle aussi remarquée.

Ainsi que Tommy.

Ce dernier contempla d'abord le mystérieux écrin, bouche bée, puis jeta un coup d'œil surexcité à Liza, incapable de rester *cool*.

Elle lui adressa un beau sourire, soudain très heureuse. C'était bien, très bien… Si ses propres rêves ne se réalisaient pas, ceux de Tommy au moins deviendraient réalité. C'était une belle consolation.

— Au revoir, Tommy, dit Liza en se levant. J'espère que ta jambe va aller mieux. Parce que j'ai l'impression que tu vas bientôt avoir une nouvelle maison où t'ébattre…

— Tais-toi, Liza, lui dit-il en réprimant un sourire.

Mais l'ordre manquait de son piquant habituel.

Tommy attendit presque une heure dans sa chambre, tandis que Ross Riser et sa mère s'entretenaient dans le salon. Autant dire une éternité ! Même Vampire Blaster n'arriva pas à maintenir son intérêt. Puis il finit par s'inquiéter parce que sa mère lui avait fait avaler ses cachets contre la douleur et que cela lui donnait envie de dormir…

Or, s'il s'endormait, il ne connaîtrait pas les résultats de la conversation. Il pensait qu'il allait devenir fou, lorsque Ross passa la tête par l'entrebâillement de la porte.

— Je peux entrer ?

Il haussa les épaules, pour ne pas montrer à quel point il était soulagé.

— Si tu veux.

Ross s'assit sur la même chaise que Liza, quelques minutes auparavant, mais elle semblait bien trop petite pour lui. Il paraissait d'ailleurs mal à l'aise.

Tommy devina que ce n'était pas uniquement à cause de son siège.

— Je voulais te parler de quelque chose d'important, commença-t-il.

— Ah bon ? dit Tommy en éteignant son jeu vidéo.

Il remarqua que Ross ne tenait plus la petite boîte, ce qui était plutôt bon signe.

— Voilà, fit Ross en changeant de position sur sa chaise, tu sais que, depuis quelque temps, je sors avec ta mère…

Tommy ne répondit rien. Il n'allait pas lui faciliter la tâche !

— Bien… Euh, nous venons de discuter, tous les deux, et nous avons décidé de nous marier…

Ross leva les yeux vers Tommy, se grattant la joue. Il était manifestement très nerveux.

— … Et je voulais t'en informer pour savoir ce que tu en pensais.

Tommy fit mine de réfléchir, puis déclara :

— Je pense que ça ira.

— Parfait ! s'exclama Ross, visiblement soulagé. C'est parfait !

— Donc, tu seras… tu seras comme mon père, c'est ça ?

Ross hésita.

— Si tu n'as rien contre, j'en serais très heureux. Bien sûr, je ne serai jamais ton *véritable* père. Ton père était un homme exceptionnel, mais je pense que ta mère te fournira tous les détails voulus juste après mon départ. Ne t'inquiète pas. Je n'essaierai jamais de prendre sa place.

— Oh, ça ne risque pas, dans la mesure où il n'a jamais eu, tu sais, ni de nom ni de visage ! Il n'est personne, pour moi.

— Ta mère t'en parlera tout à l'heure, répondit lentement Ross. Peut-être auras-tu une autre opinion de lui après. Moi, ce que je voulais éclaircir avec toi, c'était... euh, je voulais être certain que tu n'étais pas opposé à mon mariage avec ta maman, et au fait que je devienne une sorte de père pour toi.

Il avait l'air sincère, pensa Tommy. Vraiment sincère. Il hésita. Devait-il lui confier à quel point il avait envie d'un père ? Et combien il était heureux d'en avoir enfin un. Surtout un de sa trempe. Un homme grand et fort, entraîneur de foot, qui plus est, et qui serait toujours à ses côtés.

Au dernier moment, il se ravisa. Ce devait être à cause de ses cachets qu'il était sur le point de livrer des confidences si stupides. Il n'allait tout de même pas passer pour une poule mouillée aux yeux de Ross.

— Je t'ai dit que ça ira sûrement, dit-il en se glissant sous la couette. Mais j'ai sommeil.

— Parfait !

Décidément, n'avait-il pas d'autre mot à son vocabulaire ? Peu importe ! Tommy comprit ce qu'il voulait dire.

— Comment se fait-il que tu aies envie de dormir à cette heure-ci ? s'enquit alors Ross, étonné.

— Ce sont les cachets contre la douleur qui me donnent envie de dormir. Je m'en passerais volontiers, je n'ai pas peur d'avoir mal, mais maman insiste pour que je les prenne.

— Les mères sont comme ça, répondit Ross dans un sourire tranquille.

A cet instant, il sortit un magazine de sa poche et le tendit à Tommy.

— J'ai apporté la dernière édition de *Champion*. Veux-tu que je reste près de toi pour te lire quelques articles pendant que tu t'endors ?

— Pourquoi pas ? dit Tommy en enfonçant sa tête dans l'oreiller douillet.

Ross commença sa lecture. Pendant quelques minutes, il se consacra aux résultats remportés par les équipes locales. Puis il passa aux scores marqués par des équipes plus ou moins connues... Si bien que Tommy finit par perdre le fil des chiffres énumérés, se laissant uniquement bercer par le son de la voix de Ross. Il ne l'avait pas encore remarqué, mais son futur beau-père possédait une voix agréable et profonde. Rassurante.

— Bon sang ! Ce magazine remonte à trois mois, s'écria soudain Ross. Il n'y a même pas les...

Sa voix se perdit dans le brouillard. Tommy voulut ouvrir les yeux pour dire à Ross combien il était *cool*, et que, avec ou sans magazine, il pouvait parfaitement lui énumérer les résultats sportifs importants. Contrairement au père de Junior Caldwell...

Il ne parvint pas à ouvrir les yeux. Les petites pilules de sa mère conjuguées à la voix magique de Ross le firent glisser dans le sommeil...

Jack considéra la mer de visages pressés autour de l'estrade dans l'attente du discours officiel. La plupart lui étaient familiers. Quoi de plus normal dans une petite bourgade comme Demery ? Ici, tout le monde connaissait tout le monde.

Les gens pouvaient dire en quelle année vous aviez remporté la coupe d'athlétisme lors de la compétition interrégionale. Ils n'oublieraient jamais qu'un agent vous avait surpris un jour en train d'accrocher un soutien-gorge en dentelle noire au cou de la statue qui trônait au beau milieu de Milton Square. Ils savaient que votre balancelle grinçait affreusement, que vous n'aviez jamais eu la variole en dépit de votre vie de dévergondé et que vous aviez toujours chanté faux.

Ils n'ignoraient pas non plus que vous aviez failli mourir de chagrin parce que vous n'aviez pas été capable de sauver la vie de votre frère qui conduisait à tombeau ouvert dans la nuit…

Par conséquent, qu'avait-il cru pouvoir encore leur cacher ?

Il n'existait pas un détail de sa vie ou de celle de Remi qui ne fût déjà connu par cette petite communauté.

A bien y réfléchir, il y en avait tout de même un. Voire deux. Le fait que Jack avait pardonné sa désertion à Remi, et qu'il s'était pardonné à lui-même de ne pas avoir été en mesure de le retenir.

Jack aperçut Lavinia dans son tailleur en tweed confortable et sans chichis. Elle venait de monter sur l'estrade et relisait ses notes avant de commencer le discours d'inauguration. Sur une impulsion, il monta sur l'estrade et lui proposa :

— Je te remplace, si tu veux.

Lavinia releva lentement la tête.

— Excellente idée, mon neveu !

Il lui prit ses notes des mains et, lorsqu'il s'apprêta à les disposer sur le pupitre, il se rendit compte que les feuilles étaient vierges.

Il jeta un coup d'œil à Vinnie avant de secouer doucement la tête. Bon joueur, il acceptait le petit tour qu'elle venait de lui jouer. Son incorrigible tante savait depuis le début qu'il finirait par céder au dernier moment.

Jack leva la tête vers l'auditoire. Il attendit que la petite assemblée fasse silence, puis il alluma le micro.

— Mon frère Remi est mort à l'âge de vingt-deux ans, alors qu'il n'était pas encore tout à fait un homme.

Les visages étaient paisibles. Intéressés. Sympathiques même.

Il reprit son souffle.

— Remi n'était pas parfait, loin s'en faut. Mais il s'efforçait de l'être. Chaque jour, il en apprenait un peu plus. Un peu plus sur la vie, la vérité, la notion de responsabilité, l'amour…

Un peu à l'écart, il repéra soudain Molly et Liza, laquelle affichait un air bien triste. Jack n'avait pas l'intention de tenir un long discours, mais, en apercevant le visage de la petite fille, il se trouva renforcé dans sa détermination.

— Nous dédions ce pavillon à mon frère, non pas parce qu'il était un athlète remarquable, ou un jeune homme charmant ou encore un frère, un fils ou un neveu bien-aimé, bien qu'il ait été tout cela à la fois. Non, nous lui dédions ce pavillon parce qu'il était avant tout un être humain. Parce qu'il s'attachait comme nous tous à devenir chaque jour meilleur.

A cet instant, la brise caressa son visage, comme si elle saluait ses paroles, et Jack lança un bref regard vers le pavillon…

D'une voix où vibrait une émotion qu'il ne parvenait plus à cacher, il poursuivit :

— Le pavillon Remi Forrest n'est pas un hommage à la perfection, mais à l'espoir. A l'espoir que nous chérissons chaque jour de notre vie comme le bien le plus précieux qui nous soit donné à notre naissance. Cet espoir qui nous permet de croire en l'existence et en notre prochain.

Il cessa brusquement de parler, la gorge nouée. Il ne pouvait en dire plus.

Seule Lavinia comprit qu'il avait terminé. Alors, elle se mit à frapper dans ses mains, un bruit sec qui s'éleva un instant seul dans l'air matinal. Puis, un concert d'applaudissements retentit bientôt, un long crescendo auquel Jack ne s'attendait pas. Il en fut profondément ému.

Il chercha alors Molly des yeux, dans la foule. Mais il ne la vit pas. Elle n'était plus à l'endroit où elle se tenait avec Liza quelques instants auparavant. Mû par un sentiment d'angoisse, il descendit l'estrade tel un automate, adressant machinalement des sourires à la foule, remerciant de la même façon ceux qui le félicitaient, serrant des mains sans voir la tête de ceux qui les lui tendaient, jusqu'à ce qu'il échappe enfin à la foule.

Le parc n'était pas grand et il la repéra rapidement. Elle se trouvait à un stand de barbe à papa. Elle était en train de régler la gourmandise qu'elle venait d'offrir à sa fille.

Il les regarda un instant, pour le plaisir du spectacle qu'elles lui offraient. Molly portait une robe chasuble jaune, l'essence même du printemps. Liza était tout de bleu vêtue, de la couleur de ses yeux. Même de dos, on devinait qu'elles étaient mère et fille, à leur longue et blonde chevelure tombant avec souplesse sur leurs épaules.

Liza l'aperçut la première. Elle se mit à le fixer pardessus un énorme nuage de sucre rose.

— Bonjour, Jack, dit-elle d'un air sombre.

Molly se retourna à son tour. Et, soudain, ses joues furent plus roses que la barbe à papa de sa fille.

— Salut, dit-elle en mettant sa monnaie dans sa poche. Tu as fait un très beau discours. J'ai été surprise de te voir sur le podium. Je croyais que Lavinia allait…

— Non, l'interrompit sa fille. Tante Lavinia avait dit que Jack ferait le discours. Elle me l'a dit ce matin.

— Liza…, commença Molly d'un air chagriné.

— Elle a raison.

Molly, Jack et Liza se retournèrent.

Lavinia s'était rapprochée sans qu'ils s'en rendent compte. Elle se mit à rire.

— C'est exactement ce que j'avais prédit et ce qui s'est réalisé, n'est-ce pas, trésor ?

Elle se pencha pour enlacer Liza, avant de se tourner vers son neveu.

— Bravo, Jack. Je savais que tu t'en sortirais. Et, qui plus est, tu as été concis, ce qui a été le plus appréciable ! A quoi bon ennuyer les gens avec de longs discours quand ils ne pensent qu'à s'empiffrer de barbe à papa ou de pop-corn ?

A cet instant, Liza éclata de rire. Elle avait la bouche remplie de barbe à papa !

— A propos, Liza, te souviens-tu que nous avions rendez-vous au stand de beignets, toutes les deux ? poursuivit Lavinia.

Liza jeta un coup d'œil à sa mère qui, d'un signe de tête — et sans regarder Jack —, lui donna la permission.

— N'en mange pas trop pour ne pas avoir mal au cœur, lui recommanda-t-elle.

— Entendu, maman.

Elle tourna les talons, prit la main que Lavinia lui tendait, mais s'arrêta et revint sur ses pas.

— Jack, te reverrai-je plus tard ? demanda-t-elle d'un ton sérieux, bien trop sérieux pour son âge.

Jack dut se retenir pour ne pas la prendre dans ses bras et l'y serrer bien fort. Fort au point de chasser de son cœur toutes ses préoccupations.

— Naturellement, répondit-il en lui caressant la joue.

Puis il se tourna vers Lavinia et ajouta :

— Prends bien soin d'elle, Vinnie.

— Idem, mon garçon, si tu vois ce que je veux dire, répondit sa tante avec malice.

Et, subitement, Jack et Molly se retrouvèrent seuls.

Sans se concerter, ils empruntèrent d'un même pas l'allée de pierre et se mirent à déambuler lentement dans le parc, passant devant le parterre d'azalées que Molly avait plantées elle-même, la semaine dernière.

Il ne parlait pas, préférant la laisser commencer. Hier soir, quand elle l'avait quitté, elle avait affirmé avoir besoin de temps pour réfléchir. Combien de temps ?

Naturellement, il ne voulait pas la presser. Et, pourtant, il savait qu'en dépit de toute sa bonne volonté il ne pourrait pas attendre indéfiniment qu'elle se décide.

Il avait suffisamment attendu.

— Elle t'aime, déclara soudain Molly. Tu le sais, n'est-ce pas ?

— Bien sûr, dit-il en souriant. Je suis le roi Chantsaule, tous mes sujets m'aiment.

A cet instant, Molly détecta une fleur fanée dans un parterre et se pencha pour l'arracher délicatement. On aurait pu penser qu'elle était entièrement dédiée à sa tâche, mais ses traits tendus ne le dupèrent pas.

— Liza n'est pas ton sujet, dit-elle en levant les yeux vers lui. Cela aussi tu le sais, n'est-ce pas ? C'est…

Sa voix se mit soudain à trembler de sorte que Jack compléta pour elle.

— Ma fille.

Une bonne minute s'écoula avant que Molly ne reprenne la parole.

— Depuis combien de temps le sais-tu ?

— Depuis le jour où mes yeux se sont posés sur elle, dans le labyrinthe d'Everspring.

Il repensa au choc qu'il avait éprouvé lorsque la fillette s'était heurtée contre lui et que la vérité s'était imposée à lui : il avait un *enfant*, une merveilleuse petite fille aussi radieuse que le soleil.

— Je savais que tu avais une fille, reprit-il, Lavinia m'avait mis au courant. Mais j'étais persuadé qu'elle n'était pas de moi. Jusqu'à ce que je la voie.

Molly lui lança un regard curieux avant de demander :

— Pourquoi en étais-tu si certain ? Tu savais pourtant que nous avions fait l'amour…

— Parce que j'étais allé te voir, répondit-il. Dès que je suis sorti de l'hôpital, huit mois après l'accident, je me suis rendu à Atlanta. Je voulais être certain que notre nuit n'avait pas eu de… de conséquences.

— Huit mois ? Liza était déjà née. Elle avait six semaines d'avance sur la date prévue. Mais, cela, tu le sais aussi, je présume.

— Liza me l'a confié le jour où nous sommes allés pêcher ensemble. Ce qui expliquerait, selon elle, ton côté surprotecteur envers elle. Mais, à la sortie de l'hôpital, je l'ignorais. Aussi quand je t'ai vue…

Il s'interrompit. L'image de Molly, si mince et si belle dans sa robe noire d'hiver, était encore très vive dans son esprit… Elle était magnifique. Il avait tout de suite compris qu'elle portait toujours le deuil de Remi, huit mois après. Secouant la tête, il reprit :

— Tu sortais de la fac, où tu prenais des cours du soir. Tu étais en compagnie d'un homme et, manifestement, tu ne portais pas mon enfant. Tu avais presque l'air serein. Je n'avais nullement le droit de faire irruption dans ta vie pour tout bouleverser. Je n'avais aucun droit sur toi... Alors j'ai décidé de faire ce que j'aurais dû faire depuis le début : te laisser tranquille et te laisser vivre ta vie. Ne pas détruire les souvenirs que tu avais de Remi. J'ai tenu la promesse que je m'étais faite, et je n'ai jamais cherché à entrer en contact avec toi.

— Même si tu m'aimais ? Pourquoi ? Etait-ce une sorte d'autopunition pour être resté en vie alors que Remi était mort ?

— Non, cela n'avait rien à voir avec la mort de Remi. C'était plutôt pour me punir de l'avoir trahi alors qu'il était encore en vie. Pour lui avoir volé quelque chose de merveilleux et de rare qui ne m'était absolument pas destiné.

Molly le considéra d'un air extrêmement triste, sans détourner les yeux. Il éprouva de la difficulté à soutenir son regard d'un bleu si profond. Elle était si belle. Pas étonnant que Remi et lui en aient été tous les deux amoureux.

— A cause de ton entêtement à te punir, tu as manqué dix ans de la vie de ta fille, lui dit-elle. Et tu lui as manqué pendant dix ans. Quel gâchis !

— Je sais..., murmura-t-il.

— Et, maintenant, cela suffit-il, Jack ? Penses-tu que le châtiment a assez duré ?

— C'est à toi de répondre, Molly. Tu connais toute la vérité. Peux-tu me pardonner ?

Elle esquissa un petit sourire.

— Te pardonner pour quoi ? Pour m'avoir fait l'amour ? Ou pour m'avoir laissée pendant si longtemps rester en deuil d'un amant qui ne l'avait pas été ?

— Pour tout cela, Mo...

Les yeux de Molly brillaient d'un doux éclat. Un éclat dont il reconnaissait la nature, du moins le croyait-il...

Il osait à peine respirer pour ne pas briser son espoir.

— Puis-je te pardonner ? s'interrogea-t-elle à voix haute. En fait, cela dépend... Peux-tu, toi, me pardonner d'avoir été si idiote ? De ne pas m'être rendu compte que le souvenir que je chérissais et l'amour que j'ai découvert en revenant ici ne faisaient qu'un ? De ne pas avoir réalisé que seules tes mains, tes lèvres auraient pu m'initier à l'amour avec une telle tendresse, une telle sollicitude ?

Lui touchant le bras, elle ajouta :

— Eh bien, Jack, pourras-tu me pardonner mon aveuglement ?

— Oui, dit-il d'une voix forte. Je te pardonne cela, et tout ce que tu veux encore.

Avec ces quelques mots, il espéra qu'elle entende la force de l'amour qu'il avait toujours ressenti pour elle, sans jamais pouvoir le lui avouer.

Elle lui sourit et il mêla ses doigts aux siens, avec la sensation que sa vie formait enfin un cercle parfait et rassurant.

— Merci, dit-elle, les lèvres presque tremblantes. Et, maintenant, voyons voir... Acceptes-tu d'être mon dévoué roi Chantsaule et de vivre pour toujours sur la planète Cuspiane avec ses occupantes ?

L'attirant dans le creux de ses bras, un endroit dont elle n'aurait jamais dû s'éloigner, il lui murmura en souriant :

— Oui, j'accepte.

Elle s'écarta un peu de lui, un sourire malicieux au coin des lèvres. Un sourire qui l'emplit de désir.

— Et peux-tu me jurer que tu ne me feras plus jamais passionnément l'amour sans que j'en sois parfaitement consciente ?

— Ma chère reine, je le jure sur les trois lunes dorées de Cuspiane, lui dit-il en se penchant pour l'embrasser.

Épilogue

Le feu d'artifice fut magnifique. Les fusées éclataient comme des fleurs exotiques dans le ciel clair du printemps. Rouges, vertes, dorées, bleues, toutes aussi belles les unes que les autres.

Pour sa part, Liza n'appréciait pas le spectacle autant qu'elle l'aurait cru. Elle était assise près de tante Lavinia, un cornet de pop-corn à la main. Ses yeux la picotaient tellement elle avait sommeil et elle aurait bien aimé être dans son lit.

La journée avait été bien remplie et il était fort tard. Qui plus est, elle avait vaguement la nausée à cause de toutes les sucreries qu'elle avait avalées. Tante Lavinia ne savait rien lui refuser. Elle aurait dû prendre quelques leçons auprès de sa mère.

Pourtant, en dépit de cette fin de soirée un peu difficile, elle devait convenir que la journée avait été magnifique.

Oui, elle avait vécu la plus belle journée de sa vie.

Sa mère et Jack étaient revenus une heure plus tard de leur promenade, main dans la main. Elle avait immédiatement compris que tout allait bien se passer. Le rouge à lèvres de sa mère était à moitié effacé et Jack en portait la trace, sur la lèvre supérieure.

Liza et Lavinia avaient éclaté de rire. Quel soulagement !

Ils avaient ensuite passé la journée tous les quatre ensemble. Et, même si Liza et Lavinia avaient fait quelques escales auprès des marchands de glace ou de frites, ils ne s'étaient jamais vraiment perdus de vue.

Même maintenant, alors qu'elle avait posé sa tête contre l'épaule de Lavinia, elle apercevait toujours Jack et sa mère, épaule contre épaule, quelques rangs devant. Tête levée vers le ciel, ils regardaient le ciel où explosaient toujours des bouquets de couleurs.

— Tu as vu ? s'écria soudain Lavinia. Trois fusées dorées en même temps, comme les lunes de la planète Cuspiane.

Liza hocha la tête, yeux mi-clos.

Ce fut alors qu'elle les vit s'embrasser.

Jack et sa mère s'embrassaient avec une telle tendresse que l'image resterait à jamais gravée dans sa mémoire.

Avec, au-dessus de leur tête, trois fusées aussi dorées que les lunes de Cuspiane, des ballons magiques et scintillants de paillettes...

Elle ferma les yeux.

— Tu les as manquées, se lamenta tante Lavinia. Elles se sont déjà évanouies.

Liza sourit dans son demi-sommeil et murmura :

— Ce n'est pas grave, je n'en ai plus vraiment besoin...

Chère lectrice,

Vous nous êtes fidèle depuis longtemps?
Vous venez de faire notre connaissance?

C'est pour votre plaisir que nous avons imaginé un rendez-vous chaque mois avec vos auteurs préférés, vos AUTEURS VEDETTE dans les collections Azur et Horizon.

Les AUTEURS VEDETTE vous donneront rendez-vous pour de nouveaux livres vedette.

Pour les reconnaître, cherchez l'étoile... Elle vous guidera!

Éditions Harlequin

LE FORUM DES LECTEURS ET LECTRICES

CHERS(ES) LECTEURS ET LECTRICES,

VOUS NOUS ETES FIDÈLES DEPUIS LONGTEMPS?

VOUS VENEZ DE FAIRE NOTRE CONNAISSANCE?

SI VOUS AVEZ DES COMMENTAIRES, DES CRITIQUES À FORMULER, DES SUGGESTIONS À OFFRIR, N'HÉSITEZ PAS… ÉCRIVEZ-NOUS À:

LES ENTERPRISES HARLEQUIN LTÉE.
498 RUE ODILE
FABREVILLE, LAVAL, QUÉBEC.
H7R 5X1

C'EST AVEC VOS PRÉCIEUX COMMENTAIRES QUE NOUS ALLONS POUVOIR MIEUX VOUS SERVIR.

DE PLUS, SI VOUS DÉSIREZ RECEVOIR UNE OU PLUSIEURS DE VOS SÉRIES HARLEQUIN PRÉFÉRÉE(S) À VOTRE DOMICILE, NE TARDEZ PAS À CONTACTER LE SERVICE D'ABONNEMENT; EN APPELANT AU (514) 875-4444 (RÉGION DE MONTRÉAL) OU 1-800-667-4444 (EXTÉRIEUR DE MONTRÉAL) OU TÉLÉCOPIEUR (514) 523-4444 OU COURRIER ELECTRONIQUE: AQCOURRIER@ABONNEMENT.QC.CA OU EN ÉCRIVANT À:

ABONNEMENT QUÉBEC
525 RUE LOUIS-PASTEUR
BOUCHERVILLE, QUÉBEC
J4B 8E7

MERCI, À L'AVANCE, DE VOTRE COOPÉRATION.

BONNE LECTURE.

HARLEQUIN.

VOTRE PASSEPORT POUR LE MONDE DE L'AMOUR.

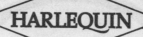

Composé et édité par les
éditions Harlequin
Achevé d'imprimer en février 2006

BUSSIÈRE
GROUPE CPI

à Saint-Amand-Montrond (Cher)
Dépôt légal : mars 2006
N° d'imprimeur : 60012 — N° d'éditeur : 11933

Imprimé en France